하상도의 식품안전관리 길라잡이 02

첨가물 바로알기

하상도의 식품안전관리 길라잡이 02

첨가물 바로알기

초판 1쇄 발행 2016년 5월 1일

지은이 하상도
펴낸이 이군호
편집 식품음료신문사 · 좋은땅 편집팀
인쇄 도서출판 좋은땅
펴낸곳 **식품음료신문사**
04376, 서울 용산구 한강대로 39길 20(한강로2가, 부성빌딩 3층)
대표전화 (02)3273-1114 **팩스** (02)3273-1150
이메일 fnbnews@thinkfood.co.kr
홈페이지 http://www.thinkfood.co.kr

ISBN 978-89-956729-8-3 (94570)
ISBN 978-89-956729-6-9 (세트)

이 도서의 국립중앙도서관 출판시 도서목록(CIP)은 서지정보유통지원시스템 홈페이지(http://seoji.nl.go.kr)와 국가자료공동목록시스템(http://www.nl.go.kr/kolisnet)에서 이용하실 수 있습니다. (CIP제어번호 : CIP2016010869)

하상도의 식품안전관리 길라잡이 02

첨가물 바로알기

식품음료신문사

소비자들은 사 먹는 음식이 늘 불안하고, 식품업체들은 도대체 믿음이 안 간다고 한다.

업계는 업계대로 양심을 걸고 위생적으로 잘 만들고 있는데, 소비자들이 너무 까다롭고 바라는 게 많아 장사하기가 힘들다고 난리다. 게다가 정부는 불량식품을 4대악으로 정해 식약처를 중심으로 검·경찰, 지자체 공무원까지 동원해 호시탐탐 감시의 눈을 번뜩이고 있어 제조업체 종사자들은 늘 불안하기만 하다.

게다가 TV에 출연해 잘못된 정보를 전하는 자칭 음식 전문가 내지는 쇼닥터들과 경쟁기업의 흠집내기식 노이즈마케팅 등으로 인해 잘못된 음식과 관련된 정보가 사회 전반에 퍼져 있다. 그리 좋을 것이 없는데도 좋은 점을 크게 과장해 대단한 것으로 띄운 천일염, 유기농, 유정란, 올리브오일, 꿀, 각종 보충제(비타민, 클로렐라, 키토산), 은행나무추출물, 프로폴리스, 발효식품 등이 있고, 반대로 그리 나쁠 것이 없는데도 크게 과장돼 마치 나쁜 독처럼 알려진 경우도 많다. 대표적으로 조미료 글루탐산나트륨(MSG), 우유, 육류, 밀가루, 설탕, 식품첨가물 등이 있다.

많은 소비자들은 비만이나 건강을 잃은 원인을 음식 탓으로 돌린다. 음식을 달게 만든 설탕, 짜게 만든 소금, 감칠맛을 준 조미료, 기름기가 흐르는 패스트푸드 탓이라 한다. 심지어는 인류가 가장 오랫동안 주식으로 먹어 오는 밀가루를 독이라 하는 사람도 있다. 편식, 과식, 폭식, 야식, 운동 부족 등 나쁜 습관을 갖고 있으면서 말이다.

또한 '천연은 좋고, 인공은 나쁘다, 유기농은 품질도 좋고 안전이 보증된 식품이다, 유통기한이 지나면 못 먹는다?, 전자레인지에 데우면 위험하다?' 등등 소비자가 잘못 알고 있는 식품에 대한 오해는 너무도 많고 다양하다. 모든 식품은 좋은 면과 나쁜 면 이렇게 양면을 지니고 있다. 적게 먹으면 영양 부족으로 위험할 수 있고, 몸에 좋다고 해서 많이 먹었다가 독(毒)이 될 수 있는 것이다. 원래부터 타고난 정크푸드는 없다. 음식의 나쁜 면만 보고 문제로 삼으면 모든 식품이 나쁜 정크푸드로 전락할 수 있다.

이 책 발간을 계기로 식품산업계 종사자들은 공정하지 못한 노이즈마케팅의 유혹에 빠지지 않기를 바라고, 식품 관련 지식과 논리로 무장해 나쁜 것으로 오해받고 있는 선량한 음식들의 누명을 벗기는 데 앞장서 주기를 바란다.

2016년 4월
중앙대학교 식품공학부 교수
하상도 드림

목차

1. 첨가물 일반

식품첨가물은 독이다? 10

천연첨가물, 합성첨가물 14

색소(1) - 부정적 사용 16

색소(2) - 안전성 20

보존료(1) - 항균제 23

보존료(2) - 항산화제 26

보존료(3) - 소르빈산 29

보존료(4) - 안식향산 32

보존료(5) - 이산화황 35

소포제 38

식품 방사선조사(이온화살균) 41

소금(1) - 소금의 역사 45

소금(2) - 소금의 유효성 48

소금(3) - 소금의 안전성 51

소금, 천일염과 정제염 54

설탕(1) - 유래와 기원 58

설탕(2) - 효능과 이익 62

설탕(3) - 안전성 논란 65

2. 주요 첨가물

커피와 카페인(1) - 즐거움과 효능 70

커피와 카페인(2) - 카페인 중독과 안전성 73

표백제 76

염소(Chlorine) 79

사카린 규제 82

양잿물 85

커피믹스 카제인나트륨 88

오존 91

조미료 글루탐산나트륨(MSG) 96

감미료 - 스테비오사이드 99

인산염 오징어 102

콜라 캐러멜색소 104

구연산 107

인공감미료(1) - 아스파탐 110

인공감미료(2) - 아세설팜칼륨 114

인공감미료(3) - 수크랄로즈(Sucralose) 117

껌베이스 - 초산비닐수지(Polyvinyl acetate) 119

팝콘 버터향 디아세틸 122

베이킹소다(탄산수소나트륨) 125
커피믹스 인산염 128
미국발 밀가루 반죽조절첨가물 아조디카르본아미드(ADA) 131
수입 수산물 무게 증량 가성소다 134
천연첨가물 카라기난 137
식용타르색소 사용량 제한 140
파라벤의 안전성 143
벌집 유동파라핀의 안전성 147
질소과자 논란 150
벌레색소 코치닐 153
식초의 역사와 빙초산의 안전성 156

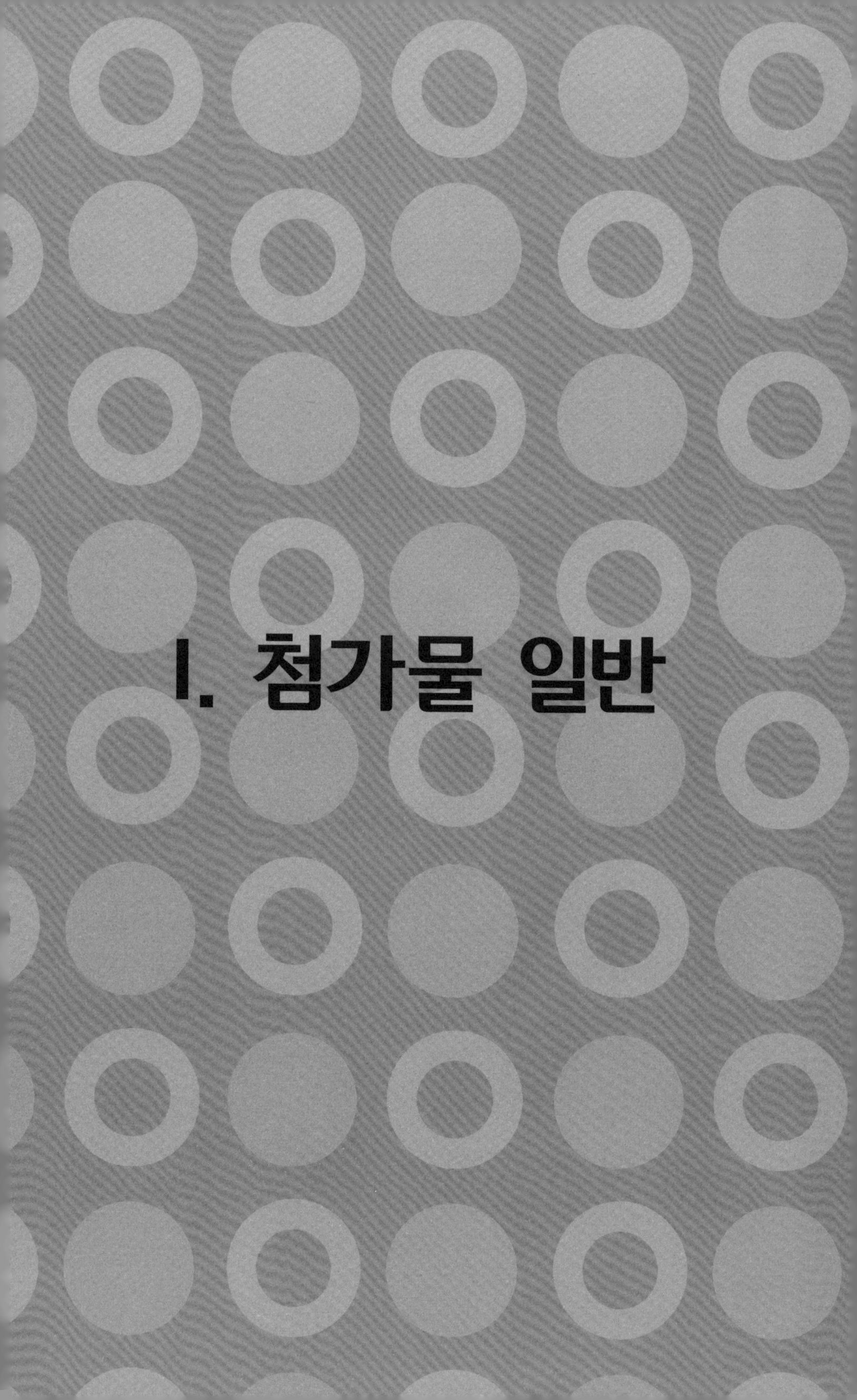

I. 첨가물 일반

식품첨가물은 독이다?

최근 우리나라에서 식품첨가물은 매우 위험하고, 부정적인 것으로 인식되는 경향이 있다. 식품사건은 고의성 여부로 구분할 수 있는데, 고의적 속임수 사건은 증량, 저가 대체식품, 미허용 첨가물 사용, 보존료 허용량 초과 등이 있으며, 비의도적인 사건은 광우병, AI, 병원성미생물 등 안전성(safety) 관련 사건과 무첨가, 화학/인공/천연 마케팅 등 안전과 무관한 커뮤니케이션 문제가 사고를 일으키는 경우가 있다. 최근 식품 관련 이슈는 카제인나트륨, 인산염 등 첨가물이 많은데, 경쟁사간 노이즈마케팅이 주원인이었다.

식품첨가물은 고대로부터 식품의 맛과 기능을 향상시키고 저장성을 얻기 위해 사용돼 왔다. 기원전 3,000년부터 고기를 절이는데 소금이 이용된 기록이 있고 기원전 900년까지 염과 연기의 사용이 이미 오랜 전통이 되어 있었다. 중세에 초석의 형태로 시작된 아질산염은 염과 연기의 저장효과를 증진시키고, 보툴리즘(*C. botulinum* 독소 식중독)을 예방하며 풍미를 향상시키기 위해 육류에 첨가되어 왔다.

그러나 모든 첨가물이 유익하게 사용되어온 것은 아니다. 예전엔 냉장, 냉동시설이 없어 밀가루, 차, 와인, 맥주 등이 쉽게 오염되고 변질되었다. 독성이 강한 첨가물을 줄이도록 입법화했을 정도로 보존료가 널리 사용되기도 했고, 수은, 비소, 납과 같은 중금속을 색소로 사용한 시대도 있었다.

결국 식품첨가물의 역사는 두 얼굴을 갖고 있다. 식품저장의 증진과 식도락에 기여한 과학기술의 발전과 식품이 실제보다 더 나은 질을 가졌다고 생각하도록 소비자들을 현혹시키는 것이다. 이러한 부정적 측면 때문에 소비자는 식품첨가물을 두려워한다.

우리나라 식품첨가물은 보건복지부에서 1962년 6월 12일 「식품위생법」에 근거해 217개 품목을 지정하면서 본격적인 안전관리가 시작되었다. 1973년 11월 『식품첨가물공전』을 만들어 성분규격, 사용기준, 표시기준, 보존기준, 제조기준 등을 수록했으며, 현재 600여 품목이 허용돼 50년간 400개 정도가 늘어났다. 현재 전 세계적으로 가공식품에 사용되는 식품첨가물은 2,000품목에 달한다.

식품첨가물은 필요하다면 신규로 인정되고, 비록 과거에 인정됐더라도 안전성 논란의 여지가 있으면 재평가해 사용을 금지하기도 한다. 1966년 합성감미료 둘신(Dulcin), 1973년 합성보존료 살리실산, 1991년 훈증제 에틸렌옥사이드, 2004년 꼭두서니색소 등이 퇴출됐다. 2006년에는 안전성 논란에 의한 식품 중 알루미늄 저감화 방안의 일환으로 염기성알루미늄탄산나트륨의 식품첨가물 지정이 취소됐다. 2009년엔 국내외 사용실적이 미미한 콘(옥수수)색소, 땅콩색소, 누리장나무색소가 제외된 바 있으며, 또한 2012년에는 주류 발효과정 중 자연적으로 발생되는 유해물질인 에틸카바

메이트 생성을 저해하는 효소제인 우레아제가 신규로 지정되기도 했다.

첨가물은 식품에 기능을 주기 위해 살짝 들어가는 첨가물일 뿐이다. 식품에 첨가해 보존성, 물성, 맛과 향, 색, 영양보충 등의 기능을 활용하면 그만이다. 그러나 사람들은 첨가물이 위험하다고 독이라 한다. 소비자들이 아파 약을 먹을 때, 약을 독이라 하지는 않는다. 약에는 효능이 있지만 더 큰 독성과 부작용이 있다. 첨가물도 마찬가지다.

첨가물은 밥으로 섭취하는 주식이 아니라 약처럼 특정 목적을 갖고 소량 첨가되는 물질이다. 첨가물을 식품 원재료처럼 독성과 부작용 없이 만들라고 하는 것과 가공식품 제조 시 첨가물을 빼라고 하는 것은 과욕이다. 첨가물에 너무 많은 욕심을 부려서는 안 된다. 식품을 오래 보존해 원가를 낮추고 식중독 발생을 예방하기 위해 첨가하는 보존료를 사용하지 못하게 하는 것은 더 큰 손실이고 시장논리에도 맞지 않는다.

정부는 적극적이고 강력한 리스크커뮤니케이션을 통해 첨가물 사용은 큰 이익을 주고, 무시해도 될 정도로 확률 낮은 위해성(risk)은 양보하자는 인식, 첨가물을 포함한 사람이 먹는 모든 것에는 독성이 있으며, 약과 독을 구분하는 것은 양의 문제라는 인식, 식품첨가물은 식품이 아니라 첨가물일 뿐이라는 인식을 소비자에게 심어줘야 할 것이다. 정부는 첨가물의 안전성을 확보하고, 첨가물 사용량을 정확히 표시하고 지키도록 제도적 장치를 마련하고 관리만하면 된다.

기업은 네거티브 마케팅을 자제하고, 소비자는 다양한 첨가물을 목적과 기능에 따라 적절히 구매, 사용하는 능력을 갖춰야 할 때라 생각된다. 천연은 좋고, 인공은 나쁘다, 첨가물은 무조건 나빠 무첨가가 좋다는 흑백논리는 이제 통하지 않는다.

앞으로 소비자의 식품첨가물 이슈는 안전성 문제에서 표시에 기반을 둔 선택의 문제로 바뀌어야 한다.

천연첨가물, 합성첨가물

식품첨가물은 고대로부터 식품의 맛과 기능을 향상시키고 저장성을 얻기 위해 사용되어 왔다. 그러나 모든 첨가제가 유익한 효과로 적용된 것만은 아니다. 결국 식품첨가물은 식품 저장의 증진에 기여한 과학기술과 식품이 실제보다 더 나은 질을 가졌다고 생각하도록 소비자들을 현혹시키는 나쁜 용도 두 가지의 역사적 평가를 받고 있다. 이에 소비자는 식품첨가물이 사용된 가공식품에 대한 거부감을 갖게 되었다.

또한 사람들은 전쟁의 역사를 거치면서 합성, 화학물질을 기피하고 있는데, 식품첨가물의 법적 분류 중 화학적합성품이 있었다. 지금은 화학적첨가물로 바뀌어 어느 정도 순화되었으나, 여전히 합성착색료/합성보존료/합성감미료, 천연첨가물이 공존하고 있어 천연과 합성의 논란이 끊임없이 일어나고 있는 것이다.

천연첨가물은 천연의 동·식물 및 광물 등을 추출한 다음 유효 성분만을 분리·정제하여 얻어지는 것이다. 화학적첨가물은 화학적 수단에 의하여 화학반응을 일으켜 얻는 물질을 말하며, 타르색소와 같이 자연에는 존재하지 않는 물질을 화학적으로 합성한 것과 동·식물·광물 등 천연물 성분을 화학반응을 통해 만든 것이다.

천연첨가물은 생산량에 따라 수급이 불안하고 보편적으로 비용이 높기 때문에 화학적첨가물을 개발, 보급하게 되었다. 현재 우리나라 식품첨가물 공전에 수록된 첨가물은 600여 종인데, 화학적첨가물이 천연첨가물에 비해 두 배 정도 더 많다.

최근 합성-천연비타민 공방이 또 다시 일고 있는데, 100% 순수한 물질로 농축된 경우에는 효능에 차이가 없다고 간주한다. 다만, 천연에서 추출한 경우에는 과일 등 원료에 들어 있는 다른 성분들이 함께 추출되며, 흡수율 등에 차이가 있어 효능이 어느 정도 높을 것이라는 개연성은 있으나 과학적으로 증명된 바는 없는 상태다. 또한 안전성 면에서도 합성이든 천연이든 순수한 물질 간에는 LD_{50}(반수치사량), NED(부작용을 일으키지 않는 농도) 등 독성지표 간에는 차이가 있을 수 없다. 어쩌면 천연의 경우, 순도가 낮아 원료성분이 혼입되는데, 오염된 원료 사용 시 농약 등 화학적 오염물질의 혼입이 가능하여 오히려 안전성 면에서 손해를 볼 수도 있다.

우리 소비자는 아직까지 천연에 대해 막연한 효능과 안전성에 대한 기대를 갖고 있어 합성에 비해 얼마든지 비용을 지불할 준비가 되어 있다. 이러한 소비자의 우매를 상업적으로 이용하는 것은 바람직하지 못한 일이라 생각된다. 천연이든 합성이든 효능과 안전성을 확보했기 때문에 법적 허가를 받은 것이고 시중에 팔리고 있는 것이므로 소비자는 천연-합성을 'Good-Bad'의 흑백 논리로 생각하지 말고 'Good-Better'로 접근하여야 하며, 비용을 몇 배나 더 지불할 정도로 효능과 안전성에 차이가 있지 않다는 사실을 명심하여야 할 것이다.

색소(1) - 부정적 사용

인류의 역사를 통해 인간은 색과 향을 향상시켜 식품에 대한 만족을 높이려 했다. 그러나 불행히도 모든 향과 색이 단순히 식품의 질과 외관을 향상시키는 데만 사용된 것이 아니라 때로는 덜 신선한 식품을 위장하는 데 사용되기도 했다. 이러한 위화사건은 색소에 대한 현재까지 소비자의 생각에 부정적 영향을 미치고 있다.

식품의 질 저하와 관련된 역사는 대부분 색소의 비도덕적인 오용에서 유래된다. 이익에 급급한 상인들은 한 때 피클의 색을 내기 위해 황산구리(copper sulfate)를, 빵을 하얗게 하기 위해 명반(alum, $Al_2(SO_4)_3$)을, 그리고 맥주와 당밀의 색과 향을 자연스럽게 내기 위해 *Cocculus indicus*(인도산의 작은 건과)라는 유독한 식물을 사용했다. 치즈와 사탕은 연단(red lead), 진사(vermillion, 황화수은의 속칭으로 적색 안료), 황화수은(H_2S, mercury sulfide), 크롬산납(lead chromate), 카바민산염(carbamate)으로 착색하여 판매하였다.

차 잎은 감청(Prussian blue, copper arsenate), 강황(turmeric)과 섞은 후 녹차로 팔리기도 하였다. 크롬산납(lead chromate)과 인디고(indigos; 적목람, *Indigofera tinctori*의 잎에 있는 천연색소) 또한 차의 색을 내기

위해 사용되었다. 1900년경 영국에서는 우유의 뜨는 찌끼와 물 탄 것을 숨기기 위해 노랗게 색을 들였다. 이것은 매우 널리 퍼진 방법이었는데, 1925년 이것이 법적으로 금지되었을 때 사람들은 오히려 색을 들이지 않은 우유가 오염된 것으로 생각하여 구매를 꺼리기까지 했다고 한다. 이러한 색소 오용사건의 역사는 식품의 색소 사용에 대한 규제의 필요성을 유발시켰다.

미국에서 식품의 색소에 대한 규제는 1886년 의회법에 의해 버터의 착색을 허용하면서 처음으로 법제화되었다. 1900년까지 젤리, 시럽, 향추출물, 버터, 치즈, 아이스크림, 소시지, 밀가루 반죽, 면류, 과자, 와인, 주류, 음료에 착색이 이루어졌다. 그 당시에는 약 80가지의 식품색소가 허용되었다. 그러나 어떠한 법도 공업용 색소, 주로 직물의 염료가 식품에 사용되는 것을 금지하지는 않았다. Bernhard Hesse 박사팀이 1904년 규제되고 있지 않은 695가지의 콜타르 염료 중 오직 16가지만이 안전기준에 적합하다고 보고한 후 이 중 7가지만이 식품에 허용되었다.

착색료란 식품에 외형적인 요소를 가미하는 것으로서 색깔을 발현하는 물질을 말한다. 과거에는 자연에 존재하는 물질에서 추출한 천연색소를 주로 사용하였으나 추출의 어려움뿐만 아니라 높은 가격, 선명하지 않은 색깔과 같은 이유 때문에 매우 제한적으로 사용되어 오다가, 1900년대 합성색소가 개발되면서부터 다양하게 사용되고 있다. 합성착색료는 판별을 쉽게 하기 위해 복잡한 이름보다는 Color Index(CI)를 사용한다.

일반적으로 사용되는 착색료에는 색소류(dye)와 레이크류(lake)가 있다. 색소류는 이들을 용매에 녹였을 때, 색깔을 나타낼 수 있는 능력 및 염색할 수 있는 능력을 가진 착색할 수 있는 화학물질을 말하며, 레이크류는 이들의 불용성인 물질을 말한다. 식품색소는 대부분이 나트륨 또는 칼륨염의 형태로서 수용성 화합물이라 불안정하다. 따라서 실제 가공에서는 보다 안정한 색소인 레이크의 사용이 요구되고 있으며, 이들은 1956년 이후부터 미국에서 허용하고 있다.

천연색소로는 예로부터 사용된 황색의 심황·치자·사프란, 녹색의 엽록소 등이 있다. 엽록소는 가루차·쑥과 같은 녹색식물을 이용한 것이다. 현재는 인공색소가 일반적으로 사용되고 있으며, 타르계와 비타르계가 있다. 타르계 색소는 원래 직물의 염료로서 합성과정을 거치기 때문에 유해한 것이 많아 사용을 엄격히 제한하고 있다. 현재 국내에서 사용이 허가되고 있는 것은 식용색소 녹색 3호·적색 2호·적색 3호·적색 40호·적색 102호·청색 1호·청색 2호·황색 4호·황색 5호 및 그 알루미늄레이크(적색 3호 제외) 등 9종(알루미늄레이크 포함 16품목) 뿐이다.

대부분의 첨가물 사용기준은 사용 가능한 식품을 열거하는 positive list인 반면에 착색료의 경우에는 사용이 불가한 식품을 나열하는 negative list 사용기준을 갖고 있다. 예를 들면, 착색료는 면류, 겨자, 단무지, 과일주스, 젓갈류, 천연식품, 고춧가루, 소스, 잼, 케첩, 식육제품, 버터, 마가린 등에 사용이 금지되어 있다. 비타르계 색소는 천연색소를 합성하거나 화학처리한 것으로 β-카로틴, 수용성 안나토, 황산구리, 산화제이철, 캐러멜, 구리, 철 클로로필린나트륨, 산화티타늄 등이 허가되어 있다.

이러한 색소들이 이익에 눈먼 상인들에게 부도덕하게 많이 사용됨에 따라 색소의 안전성 평가와 엄격한 규제가 시작되었으며, 사용되는 식품첨가물 중 사회적으로 그 중요도가 가장 낮은 것이 바로 이 색소가 아닌가 생각된다.

색소(2) - 안전성

색소, 특히 타르색소의 안전성 문제는 오랜 논란이 되어 왔다. 미국에서 사용이 금지된 최초의 색소는 butter yellow라고 알려진 azo계 타르색소이다. 이 색소는 1940년까지 마가린에 사용되었는데, 당시 쥐(rat)에서 간종양(간암)을 일으킨다는 사실이 밝혀지면서 이슈화되기 시작하였다. 미국에서 금지된 또 다른 색소는 carbon black이다. 이 색소는 다른 형태의 유기물질들이 가열됨으로써 얻어질 수 있기 때문에 많은 양의 재(ash)와 polycyclic aromatic hydrocarbons(PAHs)를 포함할 수 있다. 이러한 이유로 미국에서는 사용이 금지되었으나 유럽연합(EU)에서는 사용을 허용하고 있다. 그리고 적색 2호인 FD&C Red No.2(amaranth)는 미국에서 안전성과 관련한 논쟁이 가장 많았던 색소 중 하나로 현재 금지되었으나, EU, 일본, Codex 및 우리나라에서는 아직 허용되고 있다. 이처럼 색소는 안전성 여부를 떠나 국가마다 허용 규제 여건이 다양한데, 그간 안전성 이슈에 크게 휘말렸던 다섯 가지 주요 타르색소를 소개하겠다.

적색 2호(FD&C Red No. 2, Amaranth)는 1970년 초 러시아에서 처음으로 색소의 안전성 문제가 제기되어 1976년 발암가능성 때문에 미국에서 사용 금지되었다. 미국 FDA는 적색2호를 사용한 Gabriela의 쌀과자(rice cracker)를 리콜 처분한 바 있다. 우리 식약청은 면류, 단무지, 두유류 등

47개 품목에 적색2호의 사용을 금지하고 있다. 2004년 식약청은 각 지방자치단체와 식품공업협회 등에 적색2호의 유해성에 대한 논란 사실을 통보하고 업체에 사용 자제를 요청하는 공문을 발송한 바 있으나, 아직 사용을 금지시키지는 않고 있다.

적색 3호(Erythrosine)는 구성성분 중 요오드가 생체 내에서 떨어져 나가 갑상선의 기능에 영향을 주는 것으로 알려져 있으며, 최근 발암가능성으로 주목 받고 있다. 쥐를 대상으로 한 갑상선 종양유발이 확인되었으나, 사람에 대한 발암 위해도가 매우 적다고 밝혀졌다(70년 동안 약 십만 분의 일 수준).

황색 4호(Yellow No. 4, Tartrazin)는 음료, 디저트, 과자류, 야채가공품 등에 매우 폭넓게 사용되는 색소다. 일부 민족에서 피부민감증 반응인 가려움이나 두드러기성 구진을 일으키는 착색료로 알려져 있으며, 미국을 비롯한 거의 대부분의 나라에서 사용 시 표시를 의무화하고 있다.

식용색소 적색 40호(Allura red)는 음료, 캔디, 셔벗, 과자류 등에 널리 사용되는 황색 또는 갈색을 띤 적색의 색소다. 경구투여 시, 흡수되기 전에 부분적 아조 분해 반응을 일으키는 색소로써 인체의 흡수율이 저조하며 주로 변을 통해 체외로 배출된다. 쥐를 이용한 차세대 체기형성 실험, 변이원성, 발암성에서 안전성이 입증되었다.

식용색소 청색 1호(Brillant blue FCF)는 분말의 청색 색소로서 소화기관에서의 흡수율이 낮으며, 현재까지 동물실험에서 발암성은 알려진 바가 없다.

인류의 역사를 통해 인간은 식품에 색을 가미해 시각적 만족을 높이려 했다. 그러나 불행하게도 모든 색이 단순히 식품의 색을 돋보이도록 하는 데만 사용된 것이 아니라 덜 신선한 식품을 위장하는 데도 사용되었다. 식품에 대한 색소는 이러한 비도덕적 나쁜 역사로부터 시작되었다.

이들 이익에 급급한 상인들의 무분별한 사용을 규제하기 위해 1800년대 후반부터 1900년대 초에 걸쳐 법령이 제정되어 색소의 무분별한 사용을 규제하기 시작하였다. 그 후 현재까지 많은 색소가 새로이 인정받았고, 또한 독성이 입증되어 금지된 품목도 미국에서만 약 20종에 달한다. 아직도 색소의 입증되지 안정성에 대해 많은 소비자단체에서 문제를 제기하고 있고 최근 중국, 영국 등에서도 끊임없이 색소 문제가 터지고 있다.

우리나라 정부에서는 아직 안전성이 입증되지 않거나 세계적으로 안전성이 이슈화되고 있는 색소들을 지속적으로 모니터링하고 위해성평가를 실시하여야 할 것이다. 산업체에서도 식품의 품질과 기능 향상에 도움이 되지 않으면서 단순한 구매욕구 자극의 목적으로 무분별하게 사용하고 있는 색소의 첨가를 자제하고 소비자들 또한 표시 확인, 제품의 관능적 확인 등을 통하여 과잉의 색소 첨가 식품의 구매를 자제하는 노력이 필요할 것이다.

보존료(1) - 항균제

인류의 역사가 시작되면서 음식의 맛과 기능을 향상시키고 저장성을 확보하기 위해 식품첨가물이 사용되어 왔는데, 특히, 생존을 위해 수렵해 놓은 원료식품을 장기간 보존하고자 갖가지 방법을 시도했다. 가열, 건조 등 원시적인 물리적 방법과 소금, 연기(smoke), 아질산염(nitrate) 등 보존료(preservatives)가 간편함 때문에 주로 사용되어 왔다.

그러나 그간 저장성을 해결해 인류의 기아 해결과 식량공급에 공헌한 보존료는 화학물질이라 독성과 안전성에 대한 재평가를 받으며, 현재는 계륵처럼 취급 받고 있다. 수년 전 비타민음료에서 벤젠(benzene)이 검출되어 떠들썩했던 적이 있었다. 과채음료의 자연균총인 진균류(효모와 곰팡이)를 억제하는 보존료로서 사용된 안식향산나트륨(Na-benzoate)이 비타민 C와 작용하여 벤젠(benzene)을 생성했기 때문이었다.

보존료는 안전성이나 저장성 문제를 일으키는 미생물을 억제하는 항균제(antimicrobials)와 화학적 품질저하를 일으키는 산화반응을 저해하는 항산화제(antioxidants)로 나뉜다. 그러나 보존료의 꽃은 역시 항균제인데, 미생물을 죽이는 살균효과나 단순히 생장을 억제하는 정균효과를 갖는다.

항균제는 미생물을 억제하는 물질을 총칭하며, 항생제는 미생물이 생산한 대사산물 중 미생물을 억제하는 물질을 말하므로 항생제가 더 좁은 의미이지만, 대중적으로 같은 의미로 사용된다.

항생제는 1929년 플레밍(Fleming)이 푸른곰팡이인 페니실리움(*Penicillium*)에서 발견한 물질과 1940년 영국 오스포드대학의 플로리(Florey)와 체인(Chain)에 의해 주사약으로 개발된 페니실린(Penicillin)으로부터 시작된다. 이는 제2차 세계대전 당시 인류의 희망으로 부상하면서 20세기 가장 위대한 발견 중 하나로 꼽힌다. 이후, 많은 항생제들이 급속히 개발되었는데, 볼리비아에서 발진티푸스 환자를 완치시킨 클로람페니콜(chloramphenicol), 화이자(Pfizer) 공장 부근 흙 속에서 발견된 테라마이신(teramycin), 해변으로 흘러드는 하수 속에서 발견한 세팔로스포린(cephalosporin) 등이 유명하다.

이들 항균제는 의료 목적으로 주로 사용되는데, 그 살균 대상에 따라 미생물이면 살균제, 충해(蟲害) 방지면 살충제로 나뉜다. 식품살균제로는 과산화수소(H_2O_2), 표백분, 하이포아염소산, 하이포아염소산나트륨 등이 주로 사용된다. 과산화수소는 국수, 어육연제품 등에 허용되어 있으나 독성문제로 잔존량을 엄격히 규제하고 있다. 그 외 음료에는 표백분이, 식기류·가공기계의 살균에는 표백분과 하이포아염소산나트륨이 허용되어 있다. 식품살충제 중에는 피페로닐부톡시드(piperonyl butoxide)가 있는데, 곡류 kg당 0.024g 이하까지 허용돼 있다.

식품보존료도 대상에 따라 부패세균 등 세균의 발육을 억제시키는 방부제(防腐劑)와 곰팡이의 발육을 억제시키는 방미제(防黴劑)로 나뉜다. 방부제 중에는 소르빈산류(sorbic acids), 안식향산류(벤조산, benzoic acids)가 가장 널리 사용된다. 방미제 중에는 파라히드록시벤조산에스테르류(일명 paraben이라 한다)가 간장, 식초, 탄산을 함유하지 않은 청량음료, 과일소스, 과일 및 채소의 표피 등에 허가되어 있고, 프로피온산염은 빵·양과자에 허용되고 있다.

식품보존료의 사용은 동전의 양면처럼 이익과 손해를 모두 갖고 있는데, 음식의 부패와 식중독 방지, 식품수급 및 가격의 안정 면에서 이익이 크나, 비교적 독성이 강한 물질들이라 인체에 해를 준다는 단점이 있다.

즉 보존료는 미생물의 발육을 억제 또는 살균시키므로 생체에 독성을 주기 때문에 첨가할 대상 식품과 사용량이 엄격히 규제되고 있다. 즉, 보존료는 모든 식품에 첨가되는 것이 아니라 세균성 식중독 등 심각한 미생물 위해가 발생하기 쉬운 햄이나 소시지 등 육류식품, 유통기한 연장을 위한 빵류 등에 주로 첨가되고 있으며, 섭취량과 섭취빈도가 많은 식품에는 허용되지 않는다.

결국 보존료(항균제)는 법적 한도 이내의 소량만을 사용하고 있어 보존료가 첨가된 식품이라도 안전하다. 또한 무한정 오래 보존되는 것이 아니라 부패 도달시간을 한시적으로 연장하는 것에 불과하므로 소비자는 보존료가 첨가된 식품이라 하더라도 유통기한에 주의해야 한다.

보존료(2) - 항산화제

보존료 중 항균제는 안전성이 주 목적인 반면 항산화제는 품질변화 방지가 중요한 역할이다. 소량첨가로 산화를 막고 산화의 시작을 더디게 하는 물질을 산화방지제 또는 항산화제(antioxidants)라고 한다.

산화방지제는 지방질이 자동산화를 일으키고 연쇄적으로 산화가 진행되는 것을 중단시켜 악취를 막아준다. 특히 지방질이나 지용성 비타민인 A, D 등을 함유한 식품의 산패(酸敗)를 방지하며, 탄수화물 내의 색소 변색과 단백질 조직의 변화를 막아준다.

합성고무류에는 일반적으로 페닐-β-나프틸아민을 사용하며, 그 외에 방향족(芳香族) 아민류, 히드로퀴논 등이 사용된다. 천연고무에는 라텍스 중의 아미노산류가 천연 산화방지제로 알려져 있다. 유지 등에는 비타민 E(토코페롤, Tocopherols), 세사몰(sesamol, 참기름에 들어 있는 리그난 성분), 비타민 C(아스코르브산), 케르세틴(quercetin) 등의 천연 산화방지제가 함유되어 있다. 또 윤활유에는 페놀류, 방향족 아민류 등이 사용되며, 엔진유 등 고온에서 사용되는 것에는 금속불활성화제인 황화합물, 인화합물 등이 사용되고 있다.

식품, 화장품 등 인체에 흡수되는 것은 독성이 적고 안정하며, 동시에 원료에 영향을 주지 않아야 한다. 화장품에는 유지, 왁스류, 지방산 에스테르류 계면활성제, 향료, 각종 활성성분이 들어 있다. 이러한 원료는 공기 중 산소를 흡수해서 서서히 자동산화를 일으켜 산패현상을 보인다. 산패는 불쾌한 냄새, 변색 등의 원인이 되고 산패에 의해 발생하는 과산화물은 대표적 피부자극 물질이라 인체에 악영향을 미친다. 이러한 산화반응을 억제하기 위해 산화방지제가 사용되고 있으며, 그 가치를 인정받고 있다.

산화방지제가 허용되는 식품과 그 사용량은 법으로 제한되어 있다. 산화방지제로는 비타민 E, 비타민 C, 에리쏘르빈산(erythorbic Acid), 디부틸히드록시톨루엔(BHT), 부틸하이드록시아니솔(BHA), 갈산프로필 등이 있다. 이외에 산화방지효과가 없지만 산화방지제의 효과를 증가시키는 상승제인 시트르산(citric acid)등이 있다.

BHA는 원래 석유가 산화되면 형성되는 끈적끈적한 검을 방지하기 위한 산화방지제로 사용되었다. BHT와 함께 가장 널리 사용되는데, 미국의 GRAS-3 등급으로 매우 안전한 첨가물이며, 급성독성의 지표인 쥐의 경구투여에 대한 반수치사량(LD_{50}, lethal dose 50%)은 5g이다. 소금이 4g이므로 소금 정도의 급성독성을 갖고 있다고 보면 된다. BHT는 주로 식용유지, 버터, 건조어패류, 염장어패류, 냉동어패류, 껌, 식사대용식품(콘프레이크 등의 곡류가공품), 마요네즈, 식육 등에 사용한다.

소비자들에게 가장 이미지가 좋은 항산화제로는 천연첨가물인 토코페롤과 비타민 C가 있다. 모두 미국의 GRAS-1 첨가물로서 안전하며, 많은 식품에 광범위하게 사용되고 있으며, 지나친 과량 섭취를 제외하고는 별다른 부작용도 보고되고 있지 않다.

보존료(3) - 소르빈산

최근 도토리묵에 소르빈산 등 보존료를 불법 첨가한 식품제조업체가 처벌 받았던 사건이 있었다. 소르빈산은 자연치즈, 가공치즈, 버터류 등에 허용된 첨가물로 묵류에는 첨가할 수 없는데, 불법으로 첨가하여 '無방부제'로 허위 표시했던 사건이었다.

소르빈산(Sorbic acid, $C_6H_8O_2$)은 치즈, 식육가공품, 잼류 등에 주로 사용되는 항균제로서 살균보다는 정균효과를 내며, 그 칼륨(K), 칼슘(Ca) 또는 나트륨(Na)염을 소르빈산염이라고 부른다. 세균에도 효과적이나 곰팡이 방지가 주목적이다. 이들 다양한 염류는 식품의 유형별 특징에 따라 제품에 첨가, 침지, 분무, 살포 등의 방법으로 다양하게 사용된다. 자연계에도 블루베리 등에 천연으로 다량 존재하는 물질이다.

치즈, 식육가공품, 된장, 고추장, 염분 8% 이하의 젓갈류, 절임류, 팥 등의 앙금류, 잼류, 건조 과실류, 토마토케첩, 발효음료류, 과실주, 마가린류, 당류가공품 등에 사용한다. 물에 잘 녹는 소르빈산칼륨(potassium sorbate)은 10-20%의 용액으로 만들어 음료와 오이초절임에 직접 첨가하고, 치즈와 건조과실에는 분무나 침지방식으로 사용한다. 특히 가열처리하는 경우, 소르빈산이 증발하여 항균효과가 저하되므로 가열 후 혼입해야 한다.

소르빈산은 소시지, 햄, 어묵, 음료, 포도주 등의 식품에 주로 사용된다. 소시지나 햄은 케이싱으로 밀봉되고, 가열처리되어 비교적 보존성이 좋은 식품이지만 내열성 포자형성균이 잔존할 우려가 있다. 혐기성균인 *Clostridium*은 내부에서, 호기성균인 Bacillus는 표면에서 육질 연화와 부패취를 발생시킨다.

어묵의 경우에도 수분함량 70-75%로 미생물 생육에 좋은 조건이므로 표면에 *Streptococcus, Leuconostoc, Micrococcus* 등이 번식하여 점액성 물질을 분비하고 부패취를 내며, 때로는 곰팡이가 증식한다.

음료 역시 당 함량이 높아 내당성 곰팡이 또는 효모의 발육이 가능하다. 잼류, 토마토케첩과 같이 당 농도가 높고 pH가 낮은 식품에서는 세균보다는 곰팡이와 내삼투압성 효모에 의해 발효, 변패가 일어날 우려가 있다. 건포도, 말린 자두, 무화과와 같은 건조과실은 수분함량이 높아 곰팡이와 효모의 성장을 증가시킨다. 치즈 생산 시에도 곰팡이에 의한 변질과 곰팡이독(mycotoxin) 생성이 가능하며, 소금을 첨가하지 않은 마가린에도 곰팡이가 증식한다.

포도주 역시 효모의 2차 발효가 문제시된다. 소르빈산이나 그 염은 0.1% 가량 포도주나 포도주 재료에 살균과 보존 목적으로 사용된다. 일반적으로 용해도 때문에 염 형태가 많이 사용되며 아황산염류와 병용해 사용된다. 소르빈산염은 저장 중인 효모의 2차 발효를 저해하며 아황산염류는 효소적 및 산화적 변화와 세균성 발효를 방지하는 역할을 한다. 소르빈산염은 0.03% 이상의 농도에서 포도주 등 과실주의 맛에 영향을 미치기 때문에 0.02% 이하 사용해야 한다. 그러나 효모로 부풀리는 발효 제빵에는 효모의 활동을 저해하기 때문에 사용할 수 없다.

소르빈산은 미국에서는 GRAS-1 등급으로 매우 안전한 첨가물이며, 급성독성의 지표인 쥐의 경구투여에 대한 반수치사량(LD_{50})은 7.2-10.5g이다. 소금이 4g이고 초산(acetic acid)이 3.1g이므로 이들 보다는 독성이 2-3배 적고, 11.9g인 비타민 C, 11.7g인 구연산보다는 독성이 약간 더 강한 물질이다.

1일섭취허용량(ADI)은 체중 ㎏당 25㎎/㎏인데, 이는 체중 60㎏인 성인이 소르빈산이 함유된 일반적인 50g짜리 조미건어포(소르빈산 269ppm 함유를 가정)를 하루에 111봉지 섭취해야만 ADI를 초과하여 위해성을 초래할 수 있다고 하니 매우 안전한 첨가물이라 볼 수 있다.

식약청에서는 식품첨가물에 대한 소비자의 관심이 매우 크기 때문에 소르빈산에 대한 표시기준을 엄격히 적용하고 있다. 사실상 소르빈산은 그리 위험하지 않은 첨가물이다. 오히려 사용하지 않았을 경우, 효모에 의한 품질 저하와 경제적 손실, 곰팡이독에 의한 위해성 등 더 큰 피해가 우려된다. 이제부터라도 소비자는 보존료 소르빈산의 사용을 큰 위험을 방지하기 위한 작은 양보라는 선진의식을 가져야 할 것이다.

보존료(4) – 안식향산

지난 해 모 제약회사에서 생산한 쌍화 액상차에서 허용되지 않은 보존료인 안식향산나트륨이 사용되어 회수 조치된 사례가 있었다. 안식향산나트륨은 과채음료, 탄산음료, 기타음료 등 일부 품목에만 허용돼 있다. 최근에는 쇠고기와 돈육을 혼합, 우육포로 둔갑시켜 유통시킨 업체가 행정처분을 받은 사건도 있었다. 문제가 된 돈육혼합 육포는 쇠고기 육포와 달리 냄새가 나고 쉽게 부패되는 특성 때문에 보존료인 안식향산을 첨가했다고 한다. 우리나라에서는 축산물가공품에 그 사용을 금하고 있는 보존료인데, 최고 147ppm 수준까지 검출되었다.

안식향산(benzoic acid, $C_7H_6O_2$)은 덩굴월귤(cranberry), 서양자두(plum), 말린 자두(prune), 계피(cinnamon), 딸기류 열매 등에 천연적으로 존재하며, 그 염인 안식향산나트륨(sodium benzoate)과 함께 식품산업에 사용되는 보존료 중 가장 오랜 역사를 갖고 있다.

안식향산은 값이 싸고 변색을 유발하지 않는 장점이 있으나, 사용 pH 범위가 산성 쪽으로 편중되어 비교적 사용 범위가 좁고 저장 시 맛의 변화를 초래할 수 있는 단점이 있다. 안식향산이 항균활성을 보이는 최적 pH는 소르빈산이나 프로피온산보다 낮은 2-4로서 탄산음료류, 과일·채소음료, 오이초절임 등 산성식품의 보존에 적합한 반면 알칼리성에서는 거의 작용하지 않는다.

탄산음료는 탄산가스 자체가 살균효과를 내기 때문에 보존료가 덜 필요하며, 비탄산음료라도 강산성일 때 세균 및 곰팡이가 거의 생육하지 못하나 일부 당을 발효하는 효모가 생육할 수 있어 보존료를 사용하고 있다. 그러나 높은 농도로 사용하면 맛에 영향을 미치므로 파라옥시안식향산에스테르류 또는 아황산염류와 병용하여 사용한다. 안식향산염은 마아가린 제조 시에도 교반(churning)하기 전에 수용액 혼합물 내에 용해된 소금이나 다른 성분과 혼합되어 사용된다.

파라옥시안식향산(p-hydroxybenzoic acid)의 알킬(메틸, 에틸, 프로필, 이소프로필, 부틸, 이소부틸, 헵틸) 에스테르인 파라옥시안식향산에스테르는 오래 전부터 화장품과 의약품에 폭넓게 사용되고 있는 항균제다. 식품에 사용된 것은 그 이후의 일이며, 특정 pH(산성)에서만 이용 가능한 안식향산의 단점을 보완하기 위해 사용되었다. 현재 우리나라에서 허용되고 있는 것은 에틸, 부틸, 이소부틸, 이소프로필, 프로필에스테르인데, 일반적으로 항균제로 사용하나 항산화제로도 사용되고 있다.

파라옥시안식향산에스테르는 에스테르종류에 따라 용해도 및 항균효과가 약간씩 차이가 있어 혼합하여 사용하는 경우가 많다. 높은 보존효과와 높은 수용성의 장점을 살리기 위해 미국에서는 파라옥시안식향산프로필과 우리나라에 허용되어 있지 않은 파라옥시안식향산메틸을 혼합하여 사용하는 경우가 많다.

간장에 사용 시, 보통 4-5%의 수산화나트륨 용액에 20-25%의 부틸에스테르를 녹이고, 약 80℃로 가열한 간장에 서서히 첨가한다. 또 수산화나트륨에 녹이는 대신, 프로필렌글리콜로 10% 용액을 만들어 첨가하면 잘 녹는다. 보통 0.01-0.02% 정도 첨가하면 간장의 산막효모의 발생이 방지된다.

간장과 마찬가지로 식초에도 안식향산을 첨가하며, 에스테르의 공용혼합물을 첨가하기도 한다. 기타 과일소스 제품의 산량이 초산으로서 1.7% 전후, 식염농도가 11% 이상인 것은 파라옥시안식향산부틸 0.01% 이하를 첨가하고 산이 1.0% 이하, 식염이 6-7%인 것은 0.02-0.03% 첨가한다.

수년 전에는 비타민음료에서 벤젠(benzene)이 검출되어 떠들썩했던 적이 있었다. 보존료로 사용된 안식향산나트륨이 원인이었다. 과일음료의 자연오염균인 진균류(효모와 곰팡이)를 억제하는 보존료로서 사용된 안식향산나트륨이 비타민 C와 작용하여 벤젠을 생성했기 때문이었다.

이런 영향으로 안식향산은 미국에서 GRAS-1 등급으로 매우 안전한 첨가물임에도 불구하고 산업에서 사용을 꺼리고 있다. 이러한 특수한 경우를 제외하고는 안식향산이 주는 항균효과가 단점보다 더 크고, 사용하지 않을 때 발생 가능한 대형 손해를 줄이는 보험이라는 의식이 필요할 것이다.

보존료(5) - 이산화황

최근 중국산 건표고버섯에서 이산화황이 기준치의 10배 초과 검출되어 폐기처분되고 유통금지 조치가 내려진 사건이 있었다. 또한 대형마트에서 판매 중인 표고버섯에서 이산화황이 초과 검출된 적이 있었고, 한국소비자원이 목이, 상황, 영지, 송이 등 수입버섯 60개 제품을 수거 검사한 결과, 35%에서 최고 18배까지 허용기준을 초과한 이산화황이 검출되었다고 했다. 이산화황의 식품위생법상 기타식품(버섯 등)에서의 허용기준은 30ppm이다.

이산화황과 이들의 다양한 염류(sulfites)는 오래 전부터 식품에 항균제와 항산화제 두 가지 용도로 폭넓게 사용되었다. 이산화황을 식품에 사용한 가장 오래된 사례는 고대 로마에서 포도주 제조에 사용한 것이다. 고대 이집트인들과 로마인들은 포도주 제조 시 살균제로서 황을 연소시켜 그 연기를 사용하였는데, 이는 지금의 와인산업에서도 그대로 사용되고 있다.

이산화황(sulfur dioxide, SO_2)은 황(S)과 산소(O_2)의 화합물로서 황이 연소할 때 발생하는 기체인데, 아황산가스, 아황산무수물이라고 한다. 아황산처리는 과채류 건조에 있어서 특히 중요한 공정이다. 이 처리는 19세기에 이르러 식육가공품과 어육가공품에까지 확대되었고, 그 후 광범위하게 식품의 갈변 방지를 위해 사용되고 있다.

이는 아황산(H_2SO_3)이 들어 있어 산성을 띠며, 수분 존재 시 환원성을 갖게 되어 색소를 표백할 수 있다. 천연에는 화산, 온천 등에 존재하며, 황화수소(H_2S)와 반응하여 황을 생성한다. 석유, 석탄 속에 들어 있는 유황화합물의 연소로 인해 대기오염, 산성비, 호수와 늪의 산성화 등의 원인이 되고 있다고 한다. 급성독성으로는 불쾌한 자극성 냄새, 생리적 장애, 압박감 등이 있고, 만성독성으로는 폐렴, 기관지염, 천식, 폐기종 등이 있다.

아황산과 그 염류들은 다른 보존료와 비교해 항균효과가 강하다. 효모, 곰팡이, 세균에 대해 골고루 저해작용을 하지만 특히 세균에 더 강한 면이 있다. 실제로 아황산염류는 초산·젖산생성세균, 발효 및 변패효모(fermentation and spoilage yeast), 곰팡이(molds)를 저해하기 위해 과실·채소류에 주로 사용된다.

이산화황은 과실, 과즙, 포도주, 소시지, 새우, 오이초절임 등에 오염미생물의 증식을 저해하기 위해 사용되며 전분의 추출과정에도 사용된다. 이산화황은 휘발성이며, 소실되기 쉽고, 식품성분과의 결합에 의하여 불활성화가 용이하다. 또한 티아민(vitamin B_1) 파괴 이외에 다소 부식성이 있고, 고농도 첨가 시 뚜렷한 맛의 차이를 보여 사용에 제한요소가 되고 있다.

와인 제조 시 아황산염의 역할은 특히 중요하다. 이산화황 수용액은 장비를 살균하는데도 사용되며 곰팡이, 세균, 효모의 생장을 저해하기 위해

와인의 원료인 포도즙에 첨가된다. 사용되는 이산화황의 농도는 포도의 청결도, 숙성도, pH, 온도, 당 농도 등에 따라 달라지지만 보통 50-100ppm 정도가 사용된다. 산도가 낮고 통상적인 온도에서 제조된 포도즙에는 40-50ppm 정도의 이산화황이 요구되며, 산도가 높은 경우에는 30-40ppm 정도의 양이면 충분하다. 서유럽 국가처럼 높은 온도에서 제조된 포도즙의 경우라도 최고 200ppm을 넘지는 않는다.

기타 이산화황은 가공, 저장과정에서 효소반응과 발효를 막기 위해서 전분제품과 과실류가공품에 사용되며, 곰팡이의 발육을 막기 위해 오이절임류에도 사용된다. 이렇듯 이산화황은 보존료의 조건인 항균, 항산화 두 가지 모두의 특성을 갖고 아주 폭넓게 사용되어 왔으나, 안전성 문제로 최근 그 용도가 점점 줄고 있는 추세에 있다.

모든 물질은 독(毒)이다. 독이 아닌 물질은 없다. 인체에 해가 없는 안전한 양까지만 사용하면서 그 장점을 적극 활용한다면 이산화황은 약이고 보물일 것이다.

소포제

최근 한 방송 프로그램에서 횟집 수족관에서 활어가 호흡하면서 발생시키는 거품을 없애기 위해 소포제를 많이 사용한다는 보도가 있었다. 이러한 소포제는 식품첨가물로 허가받은 것인지 아닌지도 알 수가 없는데다가 사용량도 정해져 있지 않고 제각각이라 안전 문제가 심각하다는 것이다. 또한 소포제를 첨가하지 않은 두부를 출시하면서 이를 광고 마케팅에 활용해 소포제 사용 제품을 비방하는 광고로 눈살을 찌푸리게 함으로써 소포제가 이슈화되고 있다.

소포제(antifoaming agent, 消泡劑)란 유해한 기포를 제거하는 데 사용되는 물질인데, 일반적으로 휘발성이 적고 확산력이 큰 기름상의 물질, 또는 수용성의 계면활성제가 이용된다. 이는 거품 생성을 방지하거나 감소시키는 물질로서 식품 생산공정, 특히 발효농축공정에서 거품이 심하게 발생하면 반응이 방해 받고, 내용물이 용기에서 넘쳐흘러 필요 이상으로 용기가 커져야 하는 문제를 해결하기 위해 사용한다. 소포제는 거품이 가장 많이 발생하는 콩을 원료로 사용한 두부 제조 시 주로 사용되고 있으며, 간장, 청주, 맥주 등의 제조에도 많이 사용된다.

과거에는 알코올, 식물성 기름이 주로 사용되었지만 일관성 있고 좋은 효과를 내기가 어려웠다. 그러나 최근 효능 좋은 소포제로서 실리콘수지가 널리 이용되고 있으며, 현재 식품첨가물로 정식 허가된 것은 규소수지(silicon resin, 珪素樹脂) 하나다. 식품첨가물공전 상 규소수지는 거품을 없애는 목적 이외에 사용해서는 안 되며, 식품 1kg당 0.05g 이하로 사용토록 허가되어 있다.

규소수지는 규소에 탄소, 수소를 결합시켜 만든 유기 규소화합물의 중합체다. 폴리디메틸시록산에 미세한 이산화규소(실리카)를 적당량 배합한 것이 현재 식품첨가물 규소수지다. 엷은 회색의 반투명성 걸쭉한 액체로 냄새가 거의 없다. 물, 알코올에는 용해되지 않고, 유화제가 있어야만 물에 녹는데, 벤젠, 톨루엔, 석유 등에 용해된다. 내열성이 우수해 열에 잘 견디는 전기 절연체로 쓰이며, 물을 튀기는 성질이 있어 방수제로도 쓰인다. 기름, 그리스, 고무 등 여러 모양이 있으며, 윤활제, 크림, 소포제, 변압기유, 패킹 등에 쓰인다.

소포제의 안전성에 대해서는 찬반 논란이 있다. 식품에 사용되는 계면활성물질들은 임상적으로 문제가 거의 없고, 안전성과 유효성이 입증돼 거의 미FDA에서 승인될 정도로 허가된 소포제는 안전하다는 주장이 있다. 반면 사용되는 소포제는 합성화합물로서 여러 보조 화학물질을 혼합해 세척공정이 있다 하더라도 잔류하게 되고 소량이라도 섭취 시 인체에 유해성이 있어 위험하다는 시각도 있다.

그러나 식품첨가물로 인정받은 소포제인 규소수지는 동물 대상 독성실험 결과, 보고된 부작용이 없다. 또한 법적인 소포제 기준(식품 ㎏당 0.05g 이하)에 최대농도로 사용된 두부라 하더라도 두부 100g을 먹을 경우 최대 5㎎의 소포제를 섭취하게 된다. 이는 소포제 일일섭취허용량(ADI)의 11.1% 정도에 불과해 하루 1㎏ 정도의 두부를 섭취해야 이를 초과해 위험하게 되므로 소포제의 과다 섭취 위험성은 거의 없다고 볼 수 있다.

식품첨가물로 허가됐음도 불구하고, 소포제를 첨가했다는 이유로 한동안 주부들이 두부 구매를 꺼려 두부 시장이 꽁꽁 언 적이 있었다고 한다. 소포제는 인체에 독성이 적은 물질이며, 허용량, 섭취량 또한 적은 첨가물이다. 식약처가 설정한 사용기준에 맞게 사용한다면 평생 동안 인체 독성이 나타나지 않으므로 불안감을 가질 필요가 없다. 소비자들은 기업 간 상호 비방광고에 현혹되지 말고 식약처의 식품첨가물공전에 등재된 첨가물 함유 가공식품이라면 믿어도 된다. 그러나 허가된 첨가물이라도 지나치게 섭취한다면 독이 될 수도 있으니, 늘 골고루 적당량 섭취하는 영리한 소비자가 되어야 할 것이다.

식품 방사선조사(이온화살균)

식품의 방사선조사(Ionizing radiation, 이온화살균)는 주로 가열할 수 없는 식품을 대상으로 한 살균법이다. 농산물의 경우 해충 구제와 곰팡이 사멸, 독소생산 억제, 발아·발근 억제에 사용되며, 축산물은 식육에 오염된 병원균 및 부패균을 사멸시켜 안전성과 저장성을 보장한다. 수산식품에서도 장염비브리오균이나 콜레라균을 사멸시켜 식중독을 예방할 수 있으며, 영유아제품의 안전성 확보, 우주식품 개발, 국제식량 위기 대처에 널리 활용되고 있는 기술이다.

1895년 X-ray가 발견된 후 방사선의 생물학적 효과에 대한 연구가 시작되었으며, 1921년 미국에서 육류에 존재하는 기생충(*Trichinella spiralis*)의 살균기술로 특허를 받아 본격적으로 이용되기 시작하였다. 제2차 세계대전 이후부터 식품 적용을 위한 유효성, 안전성, 경제성에 관한 검토가 이루어져 감자의 발아억제를 시작으로 러시아(1958년), 캐나다(1960년), 미국(1964년)이 법적으로 허가하였다. 현재는 세계 53개국 234기의 시설에서 향신료, 건조채소류, 근채류, 가금류 등 약 250여 종의 식품군에 허가되어 있는데, 우리나라도 1987년부터 현재까지 26개 품목이 허가되어 있다.

그러나 우리나라에서는 소비자가 심각한 거부감을 보이며, 구매에 선뜻 나서지 않을 것이라고 예상한 기업들의 사용 거부로 실용화에 제동이 걸려 있는 상태다. 특히 국내 이온화살균 처리시설은 현재 2기에 불과하며, 식품 조사처리 매출액도 2004년 40억 원을 정점으로 이후부터 하락세가 이어지며, 2010년부터 사실상 식품에 대한 매출은 없다고 한다. 시장의 악순환이라 볼 수 있다.

이온화살균 식품의 안전성은 논란이 계속되고 있으나, 현재 법적으로 허용된 수준으로 조사된 식품은 안전하며 발암물질 또한 검출되지 않는 것으로 결론내리고 있다. 그러나 일부 소비자단체들은 이온화살균이 식품의 영양소를 파괴하고 인체에 유전적 변화를 초래한다는 일부 연구결과를 언급, 안전성에 우려를 표명하며 반대 입장을 보이고 있다.

이 기술이 자연스레 식품산업에 활용되고 소비자가 이를 이해하고 받아들이기 위해서는 '정부-산업계-학계-소비자' 모두의 노력이 절실하다.

특히 소비자를 설득시키고 감동시키기 위해서는 기업이 먼저 다가가야 한다. 우리 기업은 너무 소극적이다. 소비자가 이해하고 난 후에 제품을 출시하여 100% 성공하고자 한다. 기다리고만 있으면 언제 그 시기가 오겠는가? 소비자의 이해를 얻고 싶다면 기업에서 먼저 방사선조사 식품을 출시하고 이해시켜야 한다. 지금까지 국내 시장에서 한 번도 본 적이 없는 이온화살균 식품을 어떻게 교육만으로 이해시킬 수 있겠는가? 기업조차 확신하지 못하는 기술을 어떻게 소비자가 받아들이겠는가? 국내 이온화살균 1호를 출시하여 광고하는 용감한 기업이 나와야만 소비자의 선택과 구매는 시작된다. 또한 기업들도 누군가 이온화살균 제품을 출시했을 때 "우리는 방사선 활용 이온화기술을 사용하지 않습니다"라는 얌체 광고로 소비자를 기만하는 행위를 절대로 하지 않아야 할 것이다.

둘째, 정부도 이 기술의 정착을 위해 보다 적극적으로 노력하여야 한다. 사용을 허가해 주고 검지법을 마련했다고 책임을 다했다 할 수는 없을 것이다. 정부의 지원이 궁극적 해결책은 아니지만 단기적이고 보조적으로 소비자의 이해와 자연스러운 시장 정착에 큰 도움이 될 것이라 몇 가지 정책을 제안해 본다. 이온화살균 제품의 경우 에너지 사용량이 적으므로 저탄소인증을 고려하고, 비가열살균인증, 그린인증 등과 같은 품질인증제도로 추진할 것을 제안한다. 또한 WTO 시장 경제체제에 걸맞게 수출입 물량을 고려하여 주요 교역국가, 주요 품목에 대해서는 허가를 확대하여야 할 것이다. 표시제도의 완화는 소비자의 눈을 가리는 제도로 궁극적으로 산업 활성화에 도움이 되지는 못하나, 지금과 같이 혼란스러운 도입기에는 혼합제품 표시규정에 일부 예외 항목을 두는 유연한 정책이 필요할 것으로 생각된다. 예를 들면 검지법의 검출한계를 고려, 소량 함유되어 검지가 어렵고 검출 여부가 논란이 될 소지가 있는 부원료나 복합향신료 등의 식품첨가물의 경우는 한시적으로 예외 규정으로 운영하는 방안을 제안한다. 이는 기업들에게도 검지수수료 절약 등과 같은 긍정적 효과를 안겨 줄 수도 있을 것이다.

마지막으로 소비자도 변해야 한다. 100% 안전한 것은 어디에도 없다. 이익이 크고 그 피해가 인체에 악영향을 주지 않을 정도로 작다면 무시하고 받아들이자는 것이 안전성의 기본 개념이다. 이온화살균 기술의 세계적 사용 추세를 인정하고 받아들이는 소비자의 성숙한 태도가 필요할 것이다. 식품에 사용하는 이온화살균을 농산물 생산을 위한 농약, 식기 세척을 위한 세제, 신선편의 과일/채소 살균을 위한 염소, 컵 소독을 위한 자외선살균기의 사용 등과 같은 맥락으로 이해하면 될 것이다.

이제는 때가 되었다. 기업은 자신 있게 사용하고, 정부는 보증하고 소비자도 필수불가결한 인류의 선택을 인정하는 성숙한 사회 분위기를 만들어 보자.

소금(1) - 소금의 역사

소금은 지구의 탄생과 그 시작을 같이 한다. 지구 생성 당시 지표의 바위에서 뿜어져 나오던 수증기와 염화수소가 바위 속 산화나트륨과 충돌하여 그 중 일부가 염화나트륨이 되어 증발했다고 한다. 차츰 지구가 식으면서 수증기가 비가 되어 내릴 때 소금이 함께 녹아 땅에 쌓이며 바다가 생성된 것으로 알려져 있다.

소금은 짠 맛이 나는 백색의 결정체로 대표적인 조미료다. 물론 주성분은 염화나트륨이다. 천연으로는 바닷물에 약 2.8% 함유되어 있으며, 암염으로도 만들어진다. 인체의 혈액이나 세포 안에 약 0.71% 들어 있다. 법적인 식염의 정의는 "해수나 암염 등으로부터 얻은 염화나트륨이 주성분인 결정체를 재처리하거나 가공한 것 또는 해수를 결정화하거나 정제·결정화한 것"을 말하며 천일염, 재제소금, 태움·용융소금, 정제소금, 가공소금이 있다.

"천일염"은 염전에서 해수를 자연 증발시켜 얻기 때문에 미네랄이 풍부하다. 그동안 안전성 문제가 해결되지 않아 45년간 광물로 분류되었다가 2008년 3월부터 식품으로 허용되었다. "재제소금"은 원료 소금(100%)을 용해, 탈수, 건조 등의 과정을 거쳐 다시 재결정화시켜 제조한 소금인데, 흔히 꽃소금으로 불리며, 불순물이 적다. "태움·용융소금"은 원료 소금을 태움·용융 등의 방법으로 그 원형을 변형한 소금을 말하는데, 죽염이 가장 잘 알려져 있다. "정제소금"은 바닷물을 두 번 정제하여 탁질과 부유물을 완전 제거한 후 이온교환막을 통해 중금속과 각종 불순물을 걸러낸 농축 함수를 증발관에 끓임으로서 생물학적 위해를 제거한 소금을 말하는데, 불순물이 거의 없어 안전성 측면에서 가장 우수한 소금이며, 염화나트륨 농도가 가장 높다. "가공소금"은 재제소금, 정제소금, 태움·용융소금 (95% 이상)에 식품 또는 식품첨가물을 가하여 가공한 소금을 말한다.

인간에게 소금은 생존과 직결되기 때문에 소금을 얻기 위한 노력은 아주 오래 전부터 시작되었다. 인간은 처음에는 육지의 열매, 그리고 바다의 물고기를 먹으면서 자연스럽게 염분을 섭취하였다. 그러나 농경생활이 시작되어 식물성 식품으로 주식이 변화하면서 더 많은 소금이 필요하게 되어 별도의 생산이 필요하게 되었다. 고대에는 소금이 곧 칼이고 권력이었으며 부의 원천이었다. 고대 그리스 사람은 소금을 주고 노예를 샀으며, 어떤 나라는 소금을 얻기 위하여 딸을 판 예도 많았다고 한다. 소금은 옛날부터 육류의 부패를 방지하고, 인간의 건강과 정력을 유지하는 힘의 상징으로 여겼다. 고대 이집트에서는 미이라를 만들 때 시체를 소금물에 담갔고, 이스라엘 사람들은 토지를 비옥하게 하기 위하여 소금을 비료로 사용하였다. 16세기 이탈리아에서는 소금을 금보다 비싼 고급 사치품으로 여겨 귀한 손님을 초대하면 음식에 소금을 듬뿍 넣어 감사의 마음을 표현했으며 우크라이나에서는 먼 곳에서 손님이 오면 환영의 뜻으로 쟁반에 보리이삭과 소금을 담아 대접했다고 한다.

우리 고구려 시대에는 소금을 해안지방에서 운반해 왔다는 기록이 있다. 고려시대에는 소금의 생산과 유통을 국가에서 모두 관리하여 재정 수입원으로 삼았으나, 조선시대에는 소금을 생산하는 어민들에게 일정한 세금을 징수하고 자유로운 유통과 처분의 권한을 부여하는 사염제과 관염제를 병행하였다. 일제강점기가 되면서 다시 완전 전매제를 시행하였고, 1961년에 염전매법이 폐지된 후, 종전의 국유염전과 민영업계로 양분되었다.

소금시장은 세계적으로 2억 4천만 톤 9조원 규모이며, 미국이 1/5을 차지하고 있고 우리나라도 약 335만 톤, 2천억 원 시장이라 한다. 이 중 식용은 약 70만 톤으로 20% 가량 차지하며, 현재 시판되는 정제염의 경우 1kg에 소비자 가격으로 700-800원 수준이라고 한다. 국내 소금산업 덕분에 우리 국민은 이렇듯 파란만장한 역사를 가진 귀중한 소금을 1kg에 음료수 한 캔 값도 안 되는 싼 값으로 구할 수 있는 것이라 생각된다. 우리도 이제부터라도 소금산업을 일구고 있는 숨은 일꾼들에게 감사한 마음을 가져보자.

소금(2) - 소금의 유효성

사람 혈액의 0.85%를 차지하는 소금은 인간을 포함한 모든 생명체의 생존에 필수적인 물질로 식품가공에서도 없어서는 안 될 매우 중요한 역할을 하고 있다. 소금은 생체 내 신경이나 근육 흥분성을 유지하며 정상적인 생리기능을 유지하는 생체조절 물질로서도 매우 중요하다.

특별한 질병이 원인이 되지 않는 한 정상인에게서 나트륨의 결핍은 거의 나타나지 않지만 질병이나 비정상적인 상황으로 인한 나트륨 결핍의 경우 두통, 권태, 식욕부진 등이 나타날 수 있다. 나트륨의 결핍은 더운 환경이나 육체적 활동 강도가 높을 때 땀을 통하여 나트륨의 배출량이 많아지면서 생길 수 있고 구토나 설사와 같은 소화기관의 장애 때문에 나타날 수 있다. 나트륨의 결핍이 장기간 지속될 경우 전신에 무기력 및 피로, 정신적 불안 등이 생길 수 있다. 식염을 높은 농도로 사용할 경우, 삼투압에 의한 치태세균 살균효과와 염증의 치유에 도움을 줄 수 있다.

소금이 식품에 첨가될 경우, 주는 여러 기능 중 가장 중요한 것은 아무래도 짠맛을 주는 조미료 기능일 것이다. 모든 식품은 짠 맛과 어우러져 음식 고유의 맛을 나타내며, 짠 맛의 강약은 음식의 맛을 결정짓는다. 가장 맛있는 짠 맛의 농도는 혈중 염분농도에 근접한 140mM(약 0.8% NaCl)이라 한다.

다음으로 중요한 기능은 단백질 용해작용이다. 알부민과 글로불린은 동물이나 식물에 널리 들어있는 단백질인데, 알부민은 물에 용해되지만, 글로불린은 용해되지 않는다. 그러나 글로불린도 소금물에는 용해된다. 곡류에 함유된 플로라민에 속하는 글리아딘도 소금물에 용해되고, 글리아딘과 글루테닌은 물을 흡수하여 결합한다. 그리고 그 결합한 물질은 계속 마찰하면서 그물조직을 만들어 우동이나 면의 끈기, 탄력, 씹히는 감촉을 좌우하는 글루텐을 형성한다. 소금물은 콩 단백질의 글리시닌을 어느 정도 녹여 조직을 연하게 하고, 육제품과 어육제품의 근원섬유를 조성하고 있는 단백질 또한 소금에 의하여 가용화된다.

소금은 단백질을 응고시킨다. 단백질은 열에 의해서도 응고되지만 소금이 있으면 응고되는 온도가 낮아져 조리 시 많이 이용된다.

변색 방지작용도 있는데, 소금물은 산화효소를 저해하여 산화에 의한 변색을 방지한다.

빙점 강하작용 또한 중요한 역할인데, 포화 소금용액에서 얼음은 -21.2℃까지 안정하다. 이를 이용하여 소금물에서 생선을 동결시키거나 얼음과 소금을 섞어 냉각제로서 음식의 장식 등에도 사용한다.

마지막으로 소금은 항균력을 갖고 있어 식품 중 유해균을 억제하는 보존제로서 식품가공에 널리 이용되고 있다. 이 원리는 발효 조정작용에도 이용된다. 염분농도를 조절하여 간장, 된장의 사상균, 빵 반죽의 효모균, 김치의 유산균 등과 같은 유용한 미생물의 증식이 최적화되었을 때 소금은 발효 속도를 줄이거나 중단 시킬 수 있기 때문이다.

이토록 소금은 많은 기능을 갖고 있고, 인간의 생명 유지에 없어서는 안

될 중요한 영양소이고 첨가물이다. 이번 기회에 한 때 금보다 비싼 보물에서 현재 싸구려로 전락한 소금의 가치를 다시 한 번 생각해 보자.

소금(3) - 소금의 안전성

그동안 소금은 생체조절물질, 치료제로서의 역할뿐만 아니라, 식품가공에 도움을 주거나 항균에 의한 보존효과 등으로 다량 사용되어 왔다. 하지만 최근 소금의 과잉 섭취와 건강 관련 문제들이 제기되면서 소금 자체의 안전성 문제가 사회 이슈화되고 있다. 특히 우리나라는 식생활에서 장류, 젓갈류, 김치 등 소금 함량이 높은 식품의 섭취빈도가 높다. 이에 따라 나트륨 과잉 섭취가 전통적인 우리 식단의 문제점으로 지적되고 있다.

생존에 필요한 1일 최저 소금섭취량은 0.5-1.0g으로 매우 낮아 결핍의 우려가 거의 없으며 오히려 과잉섭취로 인한 문제가 많다. 나트륨(Na)을 과잉섭취 할 경우 고혈압으로 인한 뇌혈관 질환을 야기할 수 있다. 역학조사에 따르면 하루 6g 이상의 소금(NaCl)이나 2.4g 이상의 나트륨을 섭취하였을 때 고혈압 발생 위험이 급격히 증가한다고 한다. 과도한 양의 나트륨 섭취는 위암, 위궤양 및 골다공증의 발생과도 연관성이 있다는 연구가 보고된 바 있다.

세계보건기구(WHO)와 미국 국립보건원(NIH)은 성인의 1일 소금 권장 섭취량을 각각 5g, 6g으로 제시하고 있는데, 이는 나트륨 기준으로 2.0g, 2.4g에 해당한다. 세계보건기구(WHO)와 우리나라 식품의약품안전청 고

시에 의한 1일 나트륨 섭취권장량은 성인 기준 3.5g이다. 우리나라 국민의 하루 나트륨 섭취는 평균 5.28g, 소금은 13.4g으로 거의 3배가량 초과 섭취하는 것으로 조사됐다. 일본 10.7g, 영국 9.0g, 미국 8.6g 등 다른 OECD 국가에 비해 제법 높은 수준이다.

국민건강영양조사 결과, 우리 국민의 총 나트륨 섭취의 80%가 찌게, 반찬 등 부식에서 기인하는 것이라고 한다. 모든 식품이 그러하듯 약과 독의 차이는 양이 결정한다. 많이 먹어서 독이 되지 않는 식품은 세상에 존재하지 않는다. 소금은 우리 몸에 없어서는 안 될 필수적인 성분을 함유한 식품이므로 적절하게 섭취하여 과잉으로 인한 위해 가능성을 최소화해야 할 것이다.

또한 1997년 소금 수입이 자유화됨에 따라 천일염, 암염 등 수입소금이 증가하고 있는데, 이들은 국내산과는 그 성분과 안전성에 차이가 있다. 수입소금 중 중국산 정제염은 고결방지제인 페로시안화 이온이 문제되고 있으며, 또한 구운소금의 경우 다이옥신, 천일염의 경우 중금속, 이물, 염전 결정지 바닥재로서 염화비닐수지(Polyvinylchloride, PVC) 재질의 장판 사용 시 용출되는 디에틸헥실프탈레이트(DEHP) 등과 같은 위해요소가 안전을 위협하고 있다.

천일염은 지난 45년간 우리나라에서 식용으로 사용할 수 없었다. 바닷물의 증발과정에서 불순물이 들어가거나 유해물질이 잔존할 수 있다는 우려 때문에 1963년에 식품이 아닌 광물로 분류되었기 때문이다. 하지만 2008

년 3월, 천일염의 위해요소 기준 및 규격을 설정하며 천일염은 다시 식품으로 인정받게 됐다.

최근 천일염이 농식품부와 지자체로부터 우리나라 전통식품으로 집중육성되고 염전 시설 개선 등 기능성과 안전성을 모두 갖춘 명품으로 거듭난다는 소식은 정말 반가운 일이 아닐 수 없다. 시장에는 너무나 다양한 소금이 천차만별의 가격으로 넘쳐나고 있다. 법으로 정해진 소금의 유형인 천일염, 재제소금, 태움·용융소금, 정제소금, 가공소금 모두 경제성, 유효성, 안전성 등 여러 측면에서 장점과 특징을 갖고 있다. 이렇듯 다양한 소금 제품을 사용 목적과 기능에 따라 적절히 구매, 사용하는 소비자의 센스가 발휘되어야 할 때라 생각된다.

소금, 천일염과 정제염

여러 방송과 기사에서 천일염은 미네랄이 많이 들어 있어 몸에도 좋고 음식에 넣으면 맛도 좋다고 하고, 정제염은 화학합성품이라 몸에 나쁘고 음식 맛도 버린다고 한다.

먹는 소금, 식염(salt)의 법적인 정의는 해수나 암염 등으로부터 얻은 염화나트륨(NaCl)이 주성분인 결정체를 재처리하거나 가공한 것 또는 해수를 결정화하거나 정제·결정화한 것을 말하며, 그 종류로는 천일염, 재제소금, 태움·용융소금, 정제소금, 가공소금이 있다.

천일염은 염전에서 해수를 자연 증발시켜 얻기 때문에 미네랄이 상대적으로 많다. 재제소금은 원료 소금을 용해, 탈수, 건조 등의 과정을 거쳐 다시 재결정화시켜 제조한 소금인데, 흔히 꽃소금이라 불리며, 불순물이 적다. 태움·용융소금은 원료 소금을 태우거나 녹여 원형을 변형시킨 소금을 말하는데, 죽염이 가장 유명하다. 정제소금은 바닷물을 정제해 탁질과 부유물을 제거한 후 이온교환막을 통해 중금속과 불순물을 걸러내고 증발관으로 끓여 만든 소금을 말하는데, 염화나트륨 농도가 가장 높고 청결한 소금이다. 가공소금은 이들 소금에 식품 또는 첨가물을 가한 소금을 말한다.

우선 정제염은 합성소금이라고 한 방송에서 한의사인 쇼닥터가 이야기한 적이 있다. 그러나 정제염은 합성물질이 아니기 때문에 이는 잘못된 사실로서 다분히 소비자를 오해시킬 수 있다. 「식품위생법」 상 화학적 합성품이란 "화학적 수단으로 원소(元素) 또는 화합물에 분해반응 외의 화학반응을 일으켜서 얻은 물질을 말한다"고 명시돼 있다. 그러나 정제염은 화학반응을 전혀 거치지 않고 자연 상태의 바닷물을 사용해 단순히 불순물만을 걸러내고 수분을 증발시켜 생산하기 때문에 합성이라는 표현은 부적절하다. 또한 표준국어대사전에도 "합성(合成)은 둘 이상의 것을 합쳐서 하나를 이룸, 둘 이상의 원소를 화합하여 화합물을 만들거나, 간단한 화합물에서 복잡한 화합물을 만듦"이라고 정의돼 있고, 정제(精製)도 "물질에 섞인 불순물을 없애 그 물질을 더 순수하게 함"이라고 정의돼 있다.

이런 사실을 종합해 볼 때, 정제염을 합성물질이라 해서는 안 된다. 오히려 안전성과 위생 측면에서는 정제염이 천일염보다 더 우수하다. 천일염은 제조 시 해풍으로 공기를 통한 오염이 일어나기도 하고, 바닥을 긁는 정도에 따라 토사나 중금속 등 오염도가 커진다. 우리나라의 천일염전은 일제강점기에 도입된 것인데, 지금 일본에서는 오히려 천일염전이 없다고 한다. 일본인들은 바닷물을 끓여 만든 자염(煮鹽)을 주로 먹는데, 공업화로 공장폐수가 연근해와 개펄을 오염시켜 천일염을 먹지 않기 때문이라고 한다. 우리나라에서도 그간 개펄이 오염돼 불순물과 유해물질 우려 때문에 천일염은 지난 45년간 식용 불가능한 광물로 분류됐었다. 하지만 2008년 3월, 천일염의 중금속 기준규격을 설정하면서 다시 식품으로 인정받게 된 것이다.

두 번째 오해는 "천일염이 미네랄의 보고라 천일염을 통해 미네랄을 섭취하라는 것"이다. 소비자시민모임이 2014년 12월 시중에서 판매되고 있는 15개 천일염 제품의 미네랄 성분을 비교한 결과, 품질기준 없이 100g당 가격이 최저 450원에서 최고 7,200원까지 16배에 달했다. 천일염에 함유된 미네랄 함량은 인체에 기능을 줄 정도의 양이 못되기 때문에 건강영향을 이야기하기엔 무리가 있다. 소비자시민모임에서도 "천일염이 미네랄을 보충하는 주요 공급원인 것처럼 소비자를 오인시켜서는 안 된다"고 경고한 것을 보면 알 수 있다.

오히려 라면이나 장류 등 가공식품 제조 시 천일염을 사용하면 표준화된 제품 생산이 불가능하다. 천일염은 같은 염전에서 생산되더라도 롯트별 염도가 다르다. 온도, 계절, 강수량, 일조량 등 다양한 변수가 있기 때문이다. 나트륨 양을 잘못 표시하면 「식품위생법」 위반이 되고 천일염을 사용해 가공식품 제조 시 소금함량 차가 롯트별로 발생하면 제품의 맛이 달라지게 돼 고객을 놓칠 수가 있어 가공식품 제조사들은 천일염 사용을 꺼린다. 물론 화학적 위해 발생 가능성도 높고 가격도 비싼데다가 가격 변동성 또한 커 외면 받고 있는 것이다. 소비자시민모임에서도 시중 유통 중인 15개 천일염 제품의 염화나트륨은 95.8-84.6%로 제품 간 함량차이가 크다고 한다. 염화나트륨 외 함유물이 미네랄이라면 변동 폭이 적을 것인데, 보통 10% 정도의 물이 함유돼 있어 저장시간에 따른 수분량 변화로 염화나트륨 함량이 변하게 된다. 게다가 국제기구인 Codex 식염기준의 염화나트륨 함량은 건조물 기준으로 97% 이상이나, 이에 해당하는 국내 천일염은 하나도 없다고 한다. 그러나 정제염의 염화나트륨 함량은 99% 이상이다.

결론적으로 정제염이 합성물질이라 위험하다는 말은 근거가 없고 천일염에 함유된 미네랄 함량 또한 인체에 기능을 줄 정도의 양이 못되므로 더 이상 소비자를 현혹시켜서는 안 될 것이다. 오히려 천일염을 수출상품화하고 가공식품에 사용하기 위한 성분, 맛, 색 등 품질표준화와 안전성 문제해결 노력을 우선해야 할 것이다.

시장에는 다양한 소금이 천차만별의 가격으로 넘쳐나고 있고 경제성, 유효성, 안전성 등 여러 측면에서 각각의 장점과 특징을 갖고 있다. 정제염과 천일염 각각 장점을 살려 기능에 맞게 사용하면 된다. 이제부터 라도 천일염, 정제염 서로 헐뜯는 네거티브 마케팅을 자제하고 소비자는 다양한 소금을 목적과 기능에 따라 적절히 구매, 사용하는 능력을 갖춰야 할 때라 생각된다. 어느 것이 좋고 나쁘다는 흑백논리는 이제 통하지 않는다. 앞으로 소비자의 소금 이슈는 안전성 논란에서 벗어나 "제품의 표시를 통한 용도별 선택 문제"로 바뀌어야 한다.

설탕(1) - 유래와 기원

설탕은 희고 고운 눈과 같은 당이라는 뜻의 설당(雪糖)에서 유래됐다. 설탕(sugar)은 사탕수수나 사탕무에서 얻은 원당을 정제해 만든 천연감미료로 자당(sucrose)을 주성분으로 한다. 과자, 빵 등 가공식품 제조에 필수라 16세기부터 세계 각국은 설탕을 확보하기 위해 필사적으로 노력해 왔다.

역사적으로 인류에 단맛을 제공한 것은 꿀이었는데, 인도에서는 오래전부터 설탕을 이용했고 알렉산더대왕에 의해 세상에 알려지기 시작했다. 당은 사탕수수와 사탕무에서 얻어지는 설탕(sucrose)을 지칭하는데, 포도당(glucose)과 과당(fructose)의 중합체다. 설탕은 가공방법에 따라 당밀을 함유하는 함밀당과 원심분리로 당밀을 분리시킨 분밀당이 있는데, 대부분 정제된 백색 분밀당이 사용된다. 흑설탕은 사탕수수 즙액을 걸러 그대로 농축해 굳힌 설탕을 말한다.

문명이 발달할수록, 국민소득이 증가할수록 설탕 소비량이 많아진다고 한다. 설탕의 최대 생산국은 브라질이고, 최대 소비국은 미국이다. 인구 1인당 최대 설탕 소비국가는 싱가포르인데, 개인당 연간 약 75kg의 설탕을 먹는다고 한다. 다음이 이스라엘로 59.2kg, 쿠바와 브라질이 각각 60.4kg, 58.0kg을 먹는다고 한다. 미국은 30.3kg, 세계 평균은 22.1kg이며, 우리나라는 23.7kg으로 세계 평균 수준이다.

설탕의 주원료인 사탕수수(sugar cane)는 벼과 다년초로서 다 자라면 키가 6미터에 이르며, 쿠바, 태국, 호주 등 연평균 기온이 20℃ 이상인 열대, 아열대 지역에서 재배된다. 사탕수수의 줄기는 대나무나 갈대처럼 20-30개의 마디가 있으며, 자당이 10-20% 들어 있어 설탕 제조에 활용된다.

설탕을 처음 제조한 나라는 인도지만 사탕수수가 처음 재배된 곳은 기원전 8,000년 태평양 남서부의 뉴기니 섬이었다. 이후 기원전 6,000년에 인도네시아, 필리핀, 인도 등 열대 남아시아와 동남아시아로 전해졌다고 한다. 초기 사람들은 사탕수수를 씹어서 단맛을 즐기고 당을 빨아먹었는데, 서기 350년경 인도 굽타왕조 때 사탕수수액으로부터 설탕 결정법을 알아냈다고 한다. 인도의 스님이 이 방법을 중국에 소개했고, 인도의 외교사절단이 당태종 때 사탕수수 재배법을 가르쳐 7세기부터 중국에서도 재배했다고 한다. 이후 당나라를 통해 삼국시대에 이르러 설탕이 우리나라로 들어왔는데, 당시에는 주로 약으로 쓰였거나 왕이 하사하는 귀한 음식이었다. 이후 1920년 평양에 처음으로 설탕공장이 세워지면서부터 대중화됐다.

7세기에 접어들어 아라비아 상인이 설탕을 지중해로 전파했으며, 십자군원정을 계기로 11세기에 서유럽에도 전해졌다고 한다. 15세기 중엽에는 포르투갈과 스페인이 대서양의 아프리카 서해안 섬에서 사탕수수를 재배했다. 1492년 콜럼버스의 신대륙 발견 이후에는 중남미에도 사탕수수 재배법이 전파됐다. 17세기에는 아이티 섬을 시작으로 쿠바, 자메이카, 페루, 브라질, 콜롬비아, 베네수엘라 등 카리브 해 연안의 섬 전체가 사탕수수밭으로 변하는 "설탕혁명"이 일어나게 됐다.

유럽 국가들은 동남아시아를 식민지화하고 더운 날씨와 원주민의 값싼 노동력을 이용, 사탕수수 재배를 시작해 설탕 공급을 늘이기 시작했다. 18세기 이슬람 제국은 세계 최초로 궁정에서 단 음료수와 사탕을 먹었다고 한다. 또한 군대의 설탕중독이 월남전 때 미군의 헤로인중독과 흡사하다는 남용에 대한 경고문이 나오기도 했다. 바다의 패권을 쥔 영국도 플랜테이션 농장을 시작하면서 노예무역과 설탕사업을 장악했으며, 사탕수수 즙을 발효시켜 럼주를 만들고, 설탕, 당밀, 럼주의 삼각무역으로 부를 축적했다.

영국이 프랑스의 해상을 봉쇄하자 설탕 값이 치솟아 프랑스는 도처에 사탕무를 심고, 설탕 정제공장을 설립하기 시작했다. 1833년 영국 식민지 노예해방 후 미국은 합법적인 노예제도를 활용, 사탕수수를 재배했고, 증기기관, 진공펌프 등 19세기 발명품을 활용해 설탕생산 최고 국가가 됐다. 미국의 독립전쟁이 촉발된 원인이 차에 부과된 세금이라는 설도 있고 설탕, 당밀 수입 시 높은 세금을 물렸던 당밀조례(Molasses Act) 때문이라고도 한다.

식민지가 거의 없었던 독일에서는 사탕수수 대체 식물을 찾았었는데, 1709년 화학자 마르그라프가 자당을 다량 함유한 사탕무를 발견하게 됐다. 그동안 사탕무는 채소나 콧병, 인후염, 변비 등의 치료제로 사용됐으나, 경제성 문제로 설탕제조에 활용되지 못하다가 1801년에 이르러서야 프러시아가 대량생산에 성공했다.

설탕의 소비가 급격하게 늘어날 수 있었던 것은 대량생산으로 인한 가격 경쟁력과 차, 커피 등 다양한 기호품의 소비 증가가 원인이었다. 영국에서는 차(tea)가 맥주를 대신했고 프랑스에서는 커피가 와인을 대신했을 정도였다. 그 덕에 설탕을 넣은 차는 더 이상 부자들의 사치품이 아니라 서민들이 마른 빵과 곁들여 먹는 식량이자 열량원이 된 것이다.

설탕(2) - 효능과 이익

전 세계적으로 공통적으로 사용된 감미료는 꿀이었는데, 그 외 각 나라별로 대추야자즙, 무화과즙, 엿, 포도즙, 사탕수수즙 등 다양했다. 역사적으로 가장 오랫동안 인류에 행복을 가져다 준 기호식품인 술의 원료 또한 바로 당이다.

18세기 계몽주의 이전까지 유럽의 의술에서 약방의 감초처럼 빠지지 않던 것이 바로 설탕이었다. 당시 유럽에서는 기침, 감기, 인후통, 몸살, 열, 가슴 통증 등에 설탕을 처방했다고 한다. 감기에는 설탕을 태운 연기를, 기침과 열에는 설탕물을 마시게 했고, 위장병과 설사 치료, 심지어는 흑사병에도 설탕을 처방했었다고 한다. 그 밖에도 기력을 잃은 노인들에게 계피를 넣은 설탕이나 장미향수를 탄 설탕시럽을 추천했고 정력을 강화시키기 위해 설탕을 먹었다고 한다.

또한 술을 많이 마신 경우, 숙취 해소를 위해 설탕물이나 꿀물을 마셨는데, 이는 과당을 많이 포함하는 과일이나 주스류, 과즙 등에 포함된 당류가 알코올 대사를 촉진시키기 때문이다. 기타 민간요법으로 타박상을 입었을 때 설탕에 물을 약간 섞어서 부은 곳에 바르면 멍들지 않고 통증도 사라진다고 하고 딸꾹질이 시작될 때 설탕 한 스푼을 혀에 올려 녹여 먹으면 신경이 새로운 자극에 반응하느라 딸꾹질이 멈춘다고 한다.

당은 신체 에너지의 원천이다. 격렬한 육체 활동 시 당은 에너지로 쓰이며, 혈관을 통해 체세포로 이동한다. 세포에 도착한 당은 에너지를 제공하고, 단백질 형성을 돕는다. 쓰고 남은 당은 간에 글리코겐으로 저장돼 있다가 우리 몸이 한동안 당분을 섭취하지 않아도 지속적으로 혈관에 당을 공급한다. 이런 과정에서도 남은 당은 지방으로 전환돼 몸에 축적된다. 많은 에너지 소비로 간의 글리코겐이 거의 바닥이 났을 때 혈액에 당분이 제대로 공급되지 않는 상태를 피로라고 한다. 정상인의 피로는 단순당을 섭취해 빠른 시간 내에 혈당을 정상으로 올려주면 해결된다.

체내에 당이 모자라면 현기증이 생기고, 이유 없이 짜증을 내고, 심장 박동이 증가하고, 집중력이 떨어지고, 온순한 사람이 난폭해지기도 한다고 한다. 저혈당증은 혈당치가 정상보다 떨어져 혈당치를 일정한 수준으로 유지시켜주는 신체 능력에 이상이 생겨서 발생하는 병으로 아직 정체가 확실하게 밝혀지지 않았다. 건강한 사람인 경우에는 대개 당 섭취가 혈당에 큰 영향을 주지 않는다. 저혈당은 인슐린 주사를 지나치게 많이 맞은 당뇨병 환자에게서 자주 나타나는데, 이때 재빨리 과일 주스, 각설탕, 캔디 등을 먹여 혈당을 정상으로 올려줘야 한다.

또한 설탕은 건망증 예방 및 기억력 유지에 도움이 된다고 한다. 기억력이 감퇴하는 이유 중 하나가 뇌에 필요한 포도당(glucose)이 줄었기 때문이다. 포도당은 사람이 움직이고 생각하게 하는 에너지인데 단맛을 내는 당 성분이 세포 내 여러 과정을 거쳐 에너지와 포도당을 만든다. 인체의 모든 부분이 이 포도당을 이용하지만 특히 뇌 세포는 포도당만을 사용해 살아간다. 포도당이 뇌 속에서 순환하면서 기억력을 감퇴시키는 역할을 하는 물질을 차단해주기 때문에 설탕을 섭취했을 때 기억력이 좋아진다고 한다. 영국에서 증명한 사실인데, 포도당이 함유된 음료를 마시면 단기 기억력을 최소 24시간 동안 향상시킬 수 있어 벼락치기 공부에 도움이 된다고 한다.

이렇듯 설탕은 인체의 생명과 활력을 유지하는데 필수 물질이다. 잘만 이용하면 세상에 존재하는 가장 중요하고 귀중한 물질일 것이다.

설탕(3) - 안전성 논란

여러 당류 중에서도 왜 소비자는 유독 설탕에 대해서만 나쁜 이미지를 갖고 있는 걸까? 일부 방송에서는 '내 몸을 죽이는 살인자, 설탕'이란 카피까지 등장하기도 했다. 그러나 설탕과 같은 단순 당에 속하는 꿀과 다당류를 주성분으로 하는 쌀밥, 감자 등에 대해서는 대부분 관대하다. 특히, 건강한 식생활을 논할 때, 설탕은 성인병을 비롯한 여러 현대병을 일으키는 주범으로 공격당한다. 특히, 과다한 설탕 복용은 비만, 당뇨, 충치, 과잉행동 등의 질병 발생률을 높인다고 알려져 있다. 세계보건기구(WHO)는 당에 대한 성인 일일섭취권장량을 25g으로 정해 놓고 있다.

비만이란 몸에 지방이 지나치게 많이 축적된 상태를 말한다. 에너지 소모보다 더 많은 칼로리를 섭취했을 때 그 초과된 칼로리만큼 지방형태로 몸에 쌓인다. 물론 설탕을 지나치게 많이 먹으면 사용되고 남은 것이 체내에서 지방질로 바뀌어 축적되기 때문에 비만의 원인이 될 수 있다. 그러나 여분의 칼로리는 당에서만 생기는 게 아니라 단백질, 지방, 알코올, 탄수화물 등 모든 영양분으로부터 만들어질 수 있다. 즉, 비만의 주범은 설탕만이 원인이 아니라 운동 부족으로 소비하지 못한 초과된 칼로리가 원인인 것이다.

당뇨는 췌장에서 분비되는 호르몬인 인슐린이 부족해서 생기는 병으로 쉽게 이야기하면 몸속의 당 관리시스템이 고장 난 것이다. 인슐린은 몸속의 당을 이용하는 필수물질이며, 혈당을 일정 수준으로 유지시키는 역할을 한다. 즉, 당뇨환자는 인슐린을 충분히 생산하지 못하며, 생산한다고 하더라도 제대로 활용하지 못하는 것이다.

당뇨의 근본 원인은 유전, 비만, 식생활 습관 등으로 알려져 있다. 설탕이 당뇨를 일으키는 직접적 원인은 아니지만, 이미 당뇨에 걸린 환자들에게는 위험할 수 있다. 설탕은 다당류인 곡물과는 달리 체내에서 빠르게 흡수되기 때문에 혈당을 급격히 상승시켜 당뇨를 악화시킬 수 있기 때문이다. 음식에 소량 첨가된 설탕은 당뇨 환자에게 나쁜 영향을 거의 끼치지는 않는다. 그러나 청량음료, 과자, 캔디 등 설탕이 과량 함유된 가공식품은 나쁜 영향을 줄 수 있다. 당뇨는 당이 남아돌아 생기는 병이 아니라 혈액 속 당을 몸이 효율적으로 사용하지 못하는 병이므로 당 섭취를 무조건 줄이는 것보다는 운동으로 근육세포가 혈액 속 당을 이용토록 해 혈당을 낮추는 것이 바람직하다.

많은 부모들은 아이들이 설탕 함유 음료를 마시면 과잉행동을 보인다고 생각한다. 과잉행동(Hyperactivity)은 늘 움직이고 만지며 부산하고 주의력이 부족한 일종의 소아 정신장애다. 1970년대에 해외의 여러 매체가 설탕의 과잉행동에 대한 보도를 자주해 이슈화됐으나, 대부분의 연구결과 설탕이 과잉행동을 일으킨다는 주장은 근거가 없는 것으로 밝혀졌다.

충치의 원인은 유전, 환경 등 여러 요소가 관여한다. 충치는 세균, 당분(영양소), 시간 등 세 박자가 잘 맞아야 발생한다. 충치세균은 설탕과 같은 당류를 먹고 시간 경과에 따라 대사작용을 통해 당을 산과 에너지로 전환시킨다. 이때 생성된 산이 에나멜을 녹이면서 치아에 구멍을 뚫는 것이다.

당분을 많이 포함한 음식, 특히 그 중 인절미나 엿은 사탕보다 치아에 잘 달라붙어 세균 증식이 용이하고 접촉시간이 상대적으로 길어 충치 유발 확률이 설탕보다 더 높다고 한다. 유아 젖병 또한 충치의 심각한 원인이 된다. 특히, 당분 함유 음료인 우유, 이유식, 주스 등이 담긴 병을 입에 물고 잠이 드는 것은 치아 건강에 매우 위험한 일이다. 충치 예방은 간단한데, 칫솔질을 잘하고 불소로 치아의 에나멜을 단단하게 하는 것이 최선이다.

최근 설탕은 비만, 당뇨, 충치, 과잉행동 등을 유발하는 식탁의 원흉으로 치부돼 무서운 독(毒)으로 여겨지고 있다. 원래부터 타고난 나쁜 음식은 없다. 설탕을 포함한 모든 식품은 영양성, 기호성, 편리성 등 고유의 좋은 역할을 갖고 있으나 양에 따라 독이 될 수가 있다. 즉, 설탕은 잘 사용하면 몸에 약이 되고, 지나치게 탐닉하거나 중독되면 독이 되는 양면적 성격을 갖는 불가근불가원의 물질임을 명심하고 영리하게 잘 사용하는 지혜를 발휘해야 할 때다.

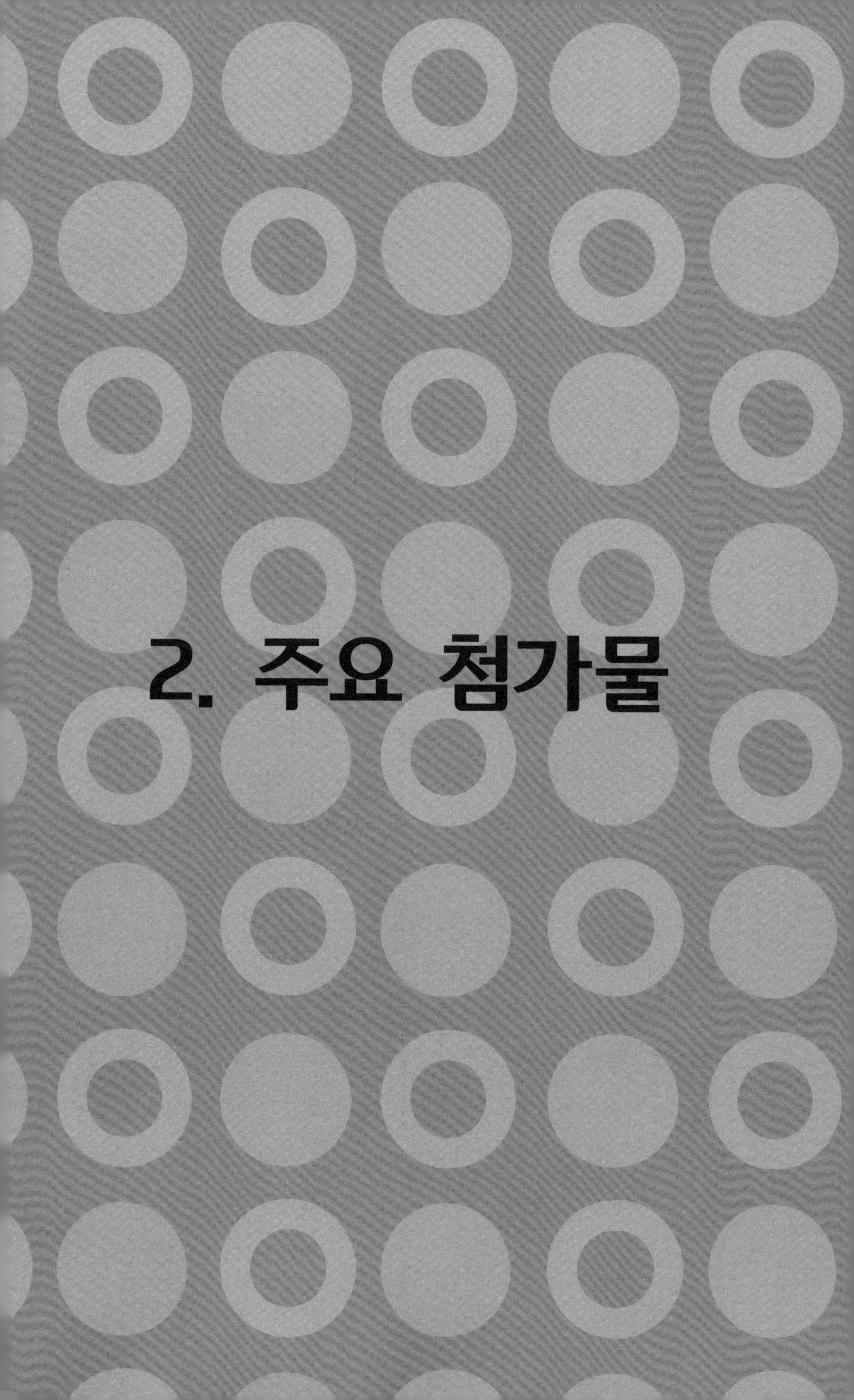

2. 주요 첨가물

커피와 카페인(1) - 즐거움과 효능

커피를 하루에 5잔도 넘게 마시는 직장인이 늘고 있다고 한다. 이들은 아침에 출근하여 일을 시작하기 전에 무조건 따뜻한 커피를 마셔야 안정을 찾고, 하루가 시작된다. 시내에 나가보면 신규로 가장 많이 오픈되는 업종이 커피전문점이다. 부가가치가 크고 수요가 있기 때문이다. 이런저런 이유로 카페인(caffeine) 중독자가 늘고 있다는 것인데, 많은 사람들이 걱정스러워 하루에 커피를 몇 잔까지 마시면 괜찮은지 자주 묻곤 한다.

카페인은 커피, 콜라, 초콜릿 등에 자연적으로 함유되어 있을 뿐만 아니라 감기약, 진통제, 식욕억제제 등의 의약품에 광범위하게 사용된다. 실제 소비하는 카페인의 75% 이상은 커피를 통해 섭취된다고 한다.

커피는 열대지방 상록의 관목에서 얻은 열매로, 그 원산지는 북아프리카 에티오피아의 카파(kaffa)로 추정되고 있다. 14세기 말 아라비아에서 커피 생두를 볶으면서 먹기 시작하였는데, 유럽에서는 초기 이교도의 음료로 거부하였다가 교황 클레멘트 8세가 세례를 내려 기독교인도 마실 수 있게 되었다. 우리나라에서는 고종황제가 처음으로 마셨다고 전해진다. 주요 품종은 에티오피아의 아라비카 커피(arabica coffee), 아프리카 서해안의 리베리카 커피(liberica coffee), 콩고산 로브스타 커피(robusta coffee) 등 3종이 일반적인데, 경제성 등의 원인으로 로브스타종이 가장 많이 시판된다.

커피콩은 주로 지방, 단백질, 섬유소로 이루어져 있고 당분은 포도당과 설탕 형태이며, 무기질 중 칼륨함량(40-60%)이 높다. 커피의 쓴맛은 카페인, 떫은맛은 탄닌에 의한 것이며, 향기는 볶음으로 생성된다. 그 외 카페인 변형물질과 유기산, 에스터(ester), 아세톤류, 페놀 등이 함유되어 있다. 커피의 주요 미각성분인 카페인은 아라비카종에 1.1%, 로브스타종에 2%, 인스턴트 커피에 3-6% 함유되어 있다.

커피 음료를 섭취하기 위해 우선 커피 생두(green bean)를 건조시키고 316-427℃에서 15분간 볶아 즉시 냉각한다. 볶는 동안 향미 생성, 건조, 캐러멜화, 단백질 분해 등의 반응이 일어나는데, 이렇게 볶은 커피콩을 원두라 하고, 분쇄한 것을 레귤러커피라고 한다. 인스턴트커피는 제2차 세계대전 후에 보급되었으며, 볶은 커피를 177℃의 뜨거운 물로 6-7회 추출하여 제조하는데, 분무건조한 분말커피와 동결건조한 과립커피(granule coffee)가 있다.

커피의 맛은 타 먹는 물의 온도가 매우 중요하다. 끓기 바로 전 온도인 85-96℃가 적당하며, 100℃ 이상 가열할 경우 쓴맛이 많이 나고 70℃ 이하에서는 탄닌의 씁쓰름한 맛이 남게 된다고 한다.

커피를 마시면 피로를 풀어주고 정신을 맑게 해주며, 이뇨작용을 통해 체내 노폐물을 제거하는 등 신체에 이로운 작용을 하는 것으로 알려져 있다. 그러나 카페인을 과잉 섭취하면 불안, 메스꺼움, 구토 등이 일어날 수 있으며, 중독 시에는 신경과민, 근육경련, 불면증 및 가슴두근거림증, 칼슘 불균형 등이 나타날 수 있다고 한다.

카페인은 미국 FDA에서 1958년 안전한 식품첨가물인 GRAS(Generally Recognized As Safe)로 분류하였고, 우리나라에서도 식품첨가물로 허가되어 있는데, 효능과 부작용 두 얼굴을 갖고 있다. 카페인은 100-200㎎ 섭취 시 각성 효과, 피로 감소, 수면 요구의 지연, 생각의 빠른 회전 등의 긍정적 효과가 있으나, 1g 섭취 시 약간의 불안, 감정 변화, 불면효과가 나타나며, 1.5g에서는 위장 장애와 부정맥, 2-5g에서는 불안, 전율, 마음의 동요, 10g에서는 척수 자극을 보인다고 한다.

그 외 알려진 효능으로는 장관에서 위산 분비를 촉진하고 연동운동을 도우며, 신장에서 이뇨작용으로 소변량을 증가시킨다. 또한 호흡기관의 근육의 피로를 경감시켜 호흡을 편하게 해주는 작용을 하여 서양에서는 진한 커피를 천식치료제로 사용해 왔다고 한다.

이렇듯 커피가 현대인의 사랑을 받고 있는 데는 다 이유가 있을 것이다.

커피와 카페인(2) - 카페인 중독과 안전성

카페인은 1820년 스위스 생리학자 런지(Lunge)가 커피콩에서 처음 발견하였고, 이후 1827년 영국의 쿠드리(Coduri)가 녹차 잎에서 발견하여 테인(theine)이라고 명명하였다. 이는 흥분제 성분으로 코카인, 암메타민 등과 같이 분류된다. 카페인은 화학식 $C_8H_{10}O_2N_4$인 식물성 알칼로이드로서 백색의 결정성 분말이며, 무색, 무취이고 약간의 쓴맛을 지닌다. LD_{50}(반수치사량)는 192㎎/kg(쥐, 경구투여)으로 농약인 DDT(150㎎/kg)보다 독성이 약간 약한 정도다.

전 세계적으로 한 사람이 매일 섭취하는 카페인 양은 70㎎이라고 추정한다. 즉, 하루 커피 한 잔 정도 마시는 것에 해당한다. 커피를 가장 많이 마시는 국가는 미국인데, 1인당 하루 211-238㎎의 카페인을 섭취한다고 한다.

WHO에서 제안하는 카페인 일일섭취권장량은 300㎎ 이하다. 원두커피 1잔에는 약 115-175㎎의 카페인이 함유되어 있고, 자판기의 인스턴트커피 1잔에는 약 60㎎, 코카콜라 한 캔(355㎖)에는 약 46㎎, 카페인제거커피(Decaffeinated coffee) 1잔에는 2-5㎎이 함유되어 있다고 한다. 즉, 카페인 일일섭취권장량을 초과하지 않는 커피의 섭취량은 원두커피 2잔, 인스턴트커피 5잔 정도라 생각하면 된다. 그러나 카페인의 ADI(일일섭취허용량)는 이보다 조금 더 많은 성인 400㎎ 이하, 임산부 300㎎ 이하, 어린이 체중 1㎏당 2.5㎎ 이하이다.

카페인의 유해성으로 첫째, 태아의 기형을 야기할 수 있어 임신한 여성은 주의해야 한다. 둘째, 심장 근육이 자극 받아 혈압 상승 및 맥박이 빨라져 심장질환을 야기할 수 있다. 셋째, 소변 배설량 증가와 함께 나트륨, 칼륨, 염소 등 무기질의 지나친 체외배설로 무기질 결핍을 초래할 수 있다. 넷째, 소화기관에 작은 상처가 있을 때 위산과다로 염증을 유발할 수 있으며, 다섯째, 카페인이 소장에서의 수분흡수를 막아 설사를 유발할 수 있다. 마지막으로 카페인의 중독증상인데, 하루 250-500㎎ 이상 지속적으로 섭취 시 나타난다. 신경과민, 불면증, 두통, 감각과민, 이뇨, 심계항진 등을 보이며 카페인 중단 시 금단현상으로 불안감, 초조감, 피로, 우울증 등의 증상을 보일 수 있다.

카페인은 현대인의 기호식품인 커피, 녹차, 콜라, 코코아, 초콜릿 등 식품뿐 아니라 감기약, 두통약 등 의약품에도 광범위하게 존재하는 성분이며, 생리적 작용이 개인의 체질과 식생활에 따라 다르게 나타난다. 카페인은 정상적인 어른에게는 섭취량에 따라 약이 될 수도, 독이 될 수도 있지만, 어린이와 임산부에게는 섭취를 제한하여야 한다.

지난 2010년 식약청에서 실시한 어린이기호식품 카페인 위해성평가 결과, 우리나라 어린이들이 초콜릿, 빙과, 탄산음료 등으로부터 섭취하는 카페인은 건강상 우려하지 않아도 되는 낮은 수준이었다고 하니 안심이 된다.

그러나 어른들은 식품별 카페인 함유량과 하루섭취기준을 반드시 확인하고, 어린이가 커피나 커피음료를 섭취하지 못하도록 주의를 기울여야 할 것이다. 또한 EU, 호주, 대만 등 선진국처럼 콜라, 초콜릿 등 고카페인 함유 식품에 함량과 주의표시를 하도록 하여야 한다.

그러나 기업 등 공급자가 카페인 함량을 제한하도록 하는 규제와 병행하여, 소비자 스스로가 섭취량을 조절할 수 있는 능력을 갖게 만드는 것이 더욱 중요하다. 이를 위해 정부, 언론과 소비자단체는 카페인의 효능과 위해성에 대한 정확한 정보를 소비자에게 지속적으로 제공, 교육에 힘써야 할 것이다.

표백제

최근 밀가루, 설탕의 표백제 사용 문제가 연거푸 불거져 나오고 있다. 밀가루가 오래돼도 곰팡이가 피지 않고 설탕이 너무 하예 소비자들은 표백제를 사용해서 그렇다고 한다. 표백제(Bleaching agent)는 식품의 가공 또는 저장 중 갈변 등 변색 방지를 위해 첨가하는 화학물질로 주로 희게 만드는 것을 말한다. 산화제와 환원제가 있는데, 산화표백제는 과산화수소, 과산화벤조일(benzoyl peroxide), 차아염소산나트륨 등이 있으며, 환원표백제는 메타중아황산나트륨, 아황산나트륨, 차아황산나트륨 등이 허용돼 있다.

표백제는 모두 사용 대상식품과 사용량이 엄격히 규정되어 있다. 아황산염 사용 시 식품 중 잔류하는 이산화황의 양이 당밀·물엿에는 0.3, 젤라틴에는 0.5, 기타 식품에는 0.03g/kg 이하로 사용기준이 제한되어 있다. 과산화수소와 같은 산화제는 표백과 살균작용을 함께 하므로 생선묵이나 국수의 부패를 방지하기 위하여 표면 처리되는데, 최종제품에 잔존을 허용치 않고 있다.

소비자의 오해를 살펴보자. 우선 백설탕 표백제 사용에 대한 오해인데, 하얀 백설탕의 색은 표백제 때문이라고 알고 있는 소비자가 많다. 실제로는 원료당을 세척·용해하고 활성탄(숯)을 이용해 탈색·정제 과정을 거쳐 흰색을 띠는 것으로 원당의 정제 정도에 따라 흑설탕이 백설탕으로 되는 것이다.

두 번째 오해는 밀가루를 희게 만들기 위해 표백제를 사용한다는 것이다. 우리나라에서는 합법적으로 밀가루 표백제로 과산화벤조일을 사용할 수는 있다. 그러나 국내 제분업계 스스로가 첨가물 사용을 줄이기 위해 자동화공정을 통하여 밀가루를 하얗게 만들고 있다고 한다. 실제로 밀가루는 껍질과 씨눈을 제외하고는 곱게 빻을수록 하얗게 되는 성질을 갖고 있다. 1970-1980년대까지는 자동화 시설이 없어 사람이 직접 밀가루를 용기로 이동시키다 보니 자연 숙성이 불가능하여 표백제를 사용했으나 1992년부터 제분업계가 자율적으로 사용하지 않기로 결의했다고 한다.

중국과 같은 위생취약국은 아직도 표백제를 사용 중인데, 과산화벤조일을 여전히 밀가루 처리제로 사용하고 있다. 물론 법적으로 허용된 첨가물이고 우리나라에서도 식품첨가물공전에 희석상태로 밀가루(0.3g/㎏)에만 사용을 허가하고 있다. 또한 중국에서는 분필의 주성분이고 석회라 불리우는 탄산칼슘(Calcium carbonate)을 제한된 양으로 사용할 수 있도록 허용하고 있다고 한다. 이는 폐 손상을 일으킬 수 있는데, 중국 Y사가 생산한 표백제의 30%가 탄산칼슘을 포함하고 있었다고 한다. 물론 정부가 생산중단 명령을 내린 상태이지만 이 업체는 2006년부터 7개 제분업소에 108톤 이상을 이미 판매하였다고 한다. 아직도 우리나라에서는 사용하지 않은지 오래된 표백제를 사용하고 있는 나라가 많아 수입식품은 여전히 불안하다. 그러나 국내 유통되는 밀가루는 대부분(96.5%) 밀을 수입하여 국내에서 가공하므로 안심이 되지만, 수입되는 4%의 밀가루는 특히 안전성에 신경을 기울여야할 것이다.

소비자는 이제부터라도 밀가루, 설탕 등 자연스럽게 하얀색을 내는 식품에 대해 표백제 우려를 깨끗하게 씻고 더 이상 색안경을 끼고 보지 말아줬으면 한다. 소비자는 기업을 신뢰하고 기업은 이익보다는 소비자의 안전을 우선 생각하는 선진 사회가 빨리 오기를 바란다.

염소(Chlorine)

식품산업 현장에서는 위해미생물을 제어하기 위해 다양한 방법이 활용되고 있다. 물리적, 화학적 및 생물학적 방법이 사용되고 있는데, 저렴하고 편리한 식품첨가물, 살균제, 소독제 등을 이용하는 화학적 방법이 가장 많이 사용되고 있다.

국내에서 법적으로 허용되어 식품에 직접 사용할 수 있는 화학적 살균제는 차아염소산나트륨, 차아염소산수(hypocholours acid water), 오존수, 이산화염소수 등이 있다.

일본에서는 식품산업체 대부분이 살균세정제를 사용하고 있는데, 알코올계와 염소계 제품이 가장 많이 사용되고 있다. 우리나라도 식품공장, 급식소, 레스토랑 등에서 식품과 기구 등의 살균에 대부분 염소계를 사용하고 있다.

가장 오래된 대표적인 화학적 살균소독제인 염소(Chlorine)는 음용수의 정수처리나 환경 소독, 생식품 소독 등에 널리 사용되고 있으며, 우리나라에서는 락스의 주 원료로 잘 알려져 있다. 염소의 가장 기본적인 형태는 염소가스(Cl2)이다.

1774년 스위스 화학자 Scheele에 의해 발견된 염소는 1825년 프랑스에서 공중보건의 목적으로 차아염소산칼슘과 차아염소산염의 형태로 사용되기 시작하였으며, 이후 농업이나 축산업 등 다양한 분야에 이용되었다.

특히 영국 화학자 Dakin이 제1차 세계대전 중 감염된 창상의 소독을 위하여 Dakin's solution, 즉 차아염소산나트륨 용액(sodium hypochlorite solution, 0.4-0.5%)을 사용하면서 염소계 화합물이 살균소독제로서 가치를 인정받기 시작하였다. 그러나 차아염소산나트륨이 pH, 온도, 유기물, 빛 등에 불안정하고, 트리할로메탄(trihalomethane, THM)과 같은 발암성 물질을 형성한다는 문제가 제기되고 있어 그 안전성을 검토 중에 있고, 많은 소비자들이 사용을 망설이고 있다.

이산화염소와 오존은 차아염소산나트륨의 단점을 해결할 수 있는 대체 성분으로 국내에서도 2007년부터 과일과 야채 등의 살균을 목적으로 사용이 허가되어 있다. 현재 국내 단체급식소에서는 신선농산물의 소독법으로 유효염소농도 100ppm에서 5분간 사용하는 것을 권장하고 있다.

1811년 영국 화학자 Davey는 염소산나트륨(sodium chlorate, $NaClO_3$)에 염산을 반응시켜 발생한 황록색 가스인 이산화염소를 발견하고 Euchlorine이라 명명하였다. 1944년 미국에서 나이아가라 폭포에서 이미·이취 및 살균을 목적으로 최초로 상업적으로 사용되었다. 이산화염소는 강력한 산화제로서 빛에 매우 불안정하고 대기 중 농도가 10% 이상이면 열에 의해 폭발할 수 있는 위험성을 가지고 있다. 또한 휘발성이 있는 라

디칼 형태의 가스라 저장이나 운반할 수가 없어 사용 장소에서 장치로 직접 제조하여 사용해야만 한다.

이산화염소는 미국의 경우 2차 식품첨가물(Secondary food additive)로 규정되어 있어 과실·채소류나 가금류의 살균·소독에 직접 사용이 가능하다. 또한, 미 환경청(EPA)에서는 음용수의 정수처리 시 발암물질인 THM을 생성하지 않기 때문에 이산화염소를 안전한 살균소독제로 권장하고 있으며, 2004년 탄저균 테러로 폐쇄된 미국 의원회관의 살균·소독에 사용한 적도 있다. 일본에서 이산화염소는 식품첨가물로 지정되어 있지만, 소맥분 처리제로서의 사용만 허가되고 있다.

염소는 이렇듯 오랜 역사를 갖고 있는 대표적 화학적 살균소독제다. 환경 중 불안정하고, 독성물질을 형성하긴 하나, 그 양이 미미하여 인체 위해를 주지는 않는다. 특히, 강한 휘발성으로 식품 처리 시 금방 사라지므로 가공공장에서 염소처리 후 판매 매장으로 운반된 식품에는 잔류하지 않는다.

또한 살균공정이 없는 신선편의채소, 과일 등 생식품의 경우, 염소 소독을 하지 않을 경우, 식중독 미생물의 오염을 제거할 수단이 없어 더욱 심각한 인체의 위해를 야기할 수 있다. 염소소독을 사용할까 말까 망설이는 식품제조 및 조리자는 지금이라도 사용하는 편이 더 이익임을 명심해야 한다.

사카린 규제

최근 국정감사에서 사카린의 지나친 규제를 완화하고 오히려 높은 감미, 낮은 칼로리, 가격 경쟁력 등 첨가물 감미료로서의 장점을 적극 활용하자는 주장을 해 신선하게 느껴진다. 그간 국회에서는 식품첨가물 사용에 대해 부정적이었으며, 규제 강화 일변도에서 완전히 반하는 주장이다.

사카린은 한때 발암물질 논란에 휩싸였지만, 현재는 안전성이 입증되어 정상적인 사용 농도와 방법으로는 인체에 무해하다는 결론에 도달했다. 국제암연구소(IARC)는 1999년에, 미국 독성프로그램(NTP)은 2000년에 사카린을 발암물질 목록에서 제외시켰으며, 2010년 12월에는 미국 환경보호청(EPA)의 유해물질 리스트에서도 삭제됐다.

우리나라에서의 사카린 사용은 1973년부터 시작되는데, 식품위생법에서 식빵, 이유식, 백설탕, 포도당, 물엿, 벌꿀, 알사탕 등 감미식품에만 사용을 금지했고, 그 이외의 식품에는 제한 없이 사용토록 허용했었다. 1980년대 후반 새로운 합성감미료인 아스파탐(aspartame)이 개발되면서 국내 매스컴에서 사카린 유해론이 불거져 나오기 시작했으며 소비자단체가 가세해 사회적 이슈로 확대되었다. 1990년 4월 정부는 사카린 안전성의 사회적 논란을 불식시키기 위해 과학적 위해평가 없이 사카린의 사용을 특정식품에만 허용했고 1992년 3월부터는 사카린 허용식품의 범위를 대폭 축소하여 절임식품류(김치 제외), 청량음료, 어육가공품 및 이유식을 제외한 특수영양식품에만 사용토록 규제를 강화했다. 세계적인 추세와는 정반대로 여론에 밀려 사카린의 사용을 지나치게 규제한 결과였다.

사카린은 1879년 Fahlberg와 Remsen가 미국 존 홉킨스대학에서 썰퍼아미노벤조산 제조 연구 중 그 무수물이 감미가 있음을 발견하고 사카린(saccharin)이라고 명명한데서 그 역사가 시작된다. 1884년부터 시판, 1899년 독일에서 처음 공업화됐다. 국내에서는 1954년 제일물산(주)에서 최초로 생산을 시작한 이래, 1960년 조흥화학, 1964년 금양(주)에서 생산해 왔다.

사카린은 설탕보다 약 300배 강한 단맛을 갖고 있고, 칼로리가 없어 구미에서는 당뇨환자에게 필수적이며, 효과적인 다이어트 소재로 100년 이상 설탕의 대체품으로 사용되고 있다. 또한 설탕에 비해 약 37배 싼 가격 또한 매력이다. 청량음료, 김치 등 일부식품의 대체감미료로 사용하고 있으나, 안전성에 대한 잘못된 편견으로 그 사용이 지나치게 제한받아 왔던 식품첨가물이다.

미국 FDA는 사카린을 GRAS(generally recognized as safe) 품목으로 분류하여 제한 없이 사용토록 허용하고 있다. 1993년 2월부터 FAO/WHO의 식품첨가물전문위원회(JECFA)에서 일일섭취허용량(ADI)을 정상인은 체중 ㎏당 5㎎, 당뇨병 환자 등 당분 제한자는 1.5㎎으로 권장하고 있다. 1

일섭취허용량(ADI)이란 평생 동안 매일 먹어도 인체에 해가 없는 양을 말한다.

한국보건산업진흥원의 식품첨가물 안전성평가연구(2008년) 결과, 우리나라 국민의 사카린 평균섭취량은 ADI의 1%에 불과하고, 과도하게 먹는 상위섭취자(상위 5%)도 ADI의 6.8%만을 섭취하는 것으로 조사돼 장점이 많은 사카린 규제 완화를 검토해야 할 시기임을 알렸다.

참으로 타당한 주장이다. 이런 긍정적 목적으로 2005년부터 위해성평가가 「식품위생법」과 「식품안전기본법」에 반영되어 법제화된 것이다. 위해성평가 결과, 이익이 큰 반면 위험성이 매우 낮은 경우, 허용량을 늘여 비용과 편익의 균형을 맞추자는 것이 본 제도의 목적이다.

사카린은 단맛이 매우 강해 가공식품의 원가절감과 물가 안정에 기여할 수 있으며, 당뇨, 비만으로 고통 받는 환자들에게 설탕대체제로 큰 도움이 된다. 또한 섭취량의 인체 위험성이 매우 낮아 현재의 지나친 규제를 개선해 그 허용식품의 범위를 넓히고, 허용량을 높이자는 주장은 타당하다. 특히, 사탕수수가 에탄올 생산에 투입되고 세계 원당 생산량이 감소 추세에 있어 더욱 더 사카린(감미료)의 설탕 대체 필요성이 강조되고 있다.

양잿물

최근 양잿물로 수입산 마른 해삼과 참소라의 무게를 부풀린 뒤 냉동시켜 판매해 부당이익을 남긴 깜짝 놀랄 사건이 있었다. 작년 4월과 6월에 발생한 해삼과 논고동을 양잿물로 부풀려 판매한 가공업자가 구속된 사례와 같은 유형이다.

이 사건의 핵심은 고의로 무게를 늘려 판매한 혐의의 식품위생법 위반이다. 그런데 양잿물을 탄 물에 해삼과 소라를 담가 육질을 부드럽게 해 수분을 많이 흡수토록 하여 중량을 최대한 부풀린 뒤 다시 수차례 물을 묻혀 얼리는 작업으로 20-30%까지 중량을 늘려 판매했다는 것이다.

소비자는 중량을 속인 파렴치한에 대한 분노보다 사용한 양잿물에 더욱 공포스러워 하고 있다. 양잿물에 담근 식품을 먹으면 어찌되는지? 소비자들이 불안해하고 있다.

우선 양잿물의 사전적인 의미를 살펴보면, 서양(西洋)의 재를 태운 잿물이라는 뜻으로 빨래할 때 세제(洗劑)로 쓰는 수산화나트륨(NaOH) 수용액을 말한다. 우리나라에서 쓰는 잿물은 식물을 태워서 만든 재의 물을 말하는데, 그 재는 강알칼리성으로 밭이나 논에 뿌려주면 토양이 산성화되는 것을 막아주는 좋은 비료가 되기도 한다. 이 잿물은 동물성 단백질을 잘 녹여 세탁물의 찌든 때를 없애주는 효과가 있다.

양잿물은 사람이 섭취했을 때 호흡 곤란과 구토, 심한 경우 쇼크사를 일으킬 수 있는 치명적인 성분으로, 식약청에서 사용을 금지하고 있다. 그러나 양잿물의 주성분인 수산화나트륨(Sodium Hydroxide, NaOH)은 가성소다라 하며 식품첨가물공전에 등재되어 최종식품 완성 전에 중화 또는 제거할 경우 식품의 가공처리에 사용이 허가되어 있다. 주로 비누 제조에 이용되며, 제지, 방직 등에도 사용된다고 한다.

수산화나트륨은 강알칼리라 부식성이 강하며, 쥐에 대한 반수치사량(LD_{50})이 104-340㎎/㎏(rat, oral)으로 카페인(192㎎/㎏), 농약인 DDT(150㎎/㎏)와 독성이 비슷한 수준이고, 니코틴(nicotine, 24㎎/㎏), 청산가리(NaCN, 10㎎/㎏)보다는 약 10배 정도 독성이 약하다.

옛날 시골 장터에 가면 드럼통에 담긴 하얀 덩어리를 뾰족한 쇠꼬챙이로 깨트려 조각 내 저울에 올려 무게를 달아 신문지에 싸서 지푸라기에 묶어 팔던 것이 바로 양잿물이다.

이 양잿물 용액을 마셨을 경우에는 토하게 하지 말고 다량의 물이나 식초를 마신 다음 병원을 찾아야 한다. 토를 하게 되면 수산화나트륨액이 식도를 다시 부식시키는 역할을 하기에 빨리 중화시켜야 한다.

이번 경우처럼 수산화나트륨이 최종 식품에서 중화 또는 제거되지 않고 양잿물 형태로 식품에 혼입되어 섭취된다면, 소비자의 건강을 위협할 수 있다. 수산화나트륨은 사람이 섭취해서 좋을 것이 전혀 없기 때문에 가능한 미량이라도 섭취하지 않도록 주의를 기울여야 할 것이다. 이번 사건의 핵심인 고의적 무게 부풀리기는 전형적인 후진국형 식품사범으로 다시는 식품산업 선진국인 우리나라에서 발생하지 않도록 강한 처벌로서 다스려야 할 것이다.

커피믹스 카제인나트륨

작년 3월부터 "우리 제품은 화학적합성품(화학적첨가물)인 카제인나트륨을 뺐다", "카제인나트륨이 들어 있는 커피크림에는 우유가 한 방울도 없다", "우리 커피에는 카제인나트륨, 카제인 대신 무지방우유를 넣어 만들었다" 등의 광고가 등장하기 시작했다.

카제인나트륨은 우리나라에서 유독 인기가 있는 국민식품인 인스턴트 커피믹스에 들어가는 첨가물인데, 그간 즐겨먹던 소비자들이 혼란에 빠졌다. 지금까지 커피믹스를 통해 카제인나트륨을 먹어 온 사람은 어떻게 해야 되는 것인지? 이 첨가물을 허가했던 식약청은 뭘 하고 있었는지 소비자는 화가 치밀어 분노하고 있다.

천연상태의 우유 중 카제인은 칼슘과 결합된 상태로 존재하고 있지만, 칼슘이 나트륨으로 바뀌어 카제인나트륨이 돼도, 다른 물질이 되는 것은 아니다. 우유의 대표적 성분인 카제인이 들어 있다면 커피크림에는 우유가 한 방울도 안 들어 있다는 표현은 지나치다고 볼 수 있다.

결국 이 광고는 관계 당국으로부터 경쟁사를 폄하한다는 이유로 시정명령 받았었다.

과연 카제인나트륨이 몸에 해로운 것이라 이 대신 우유를 사용한 제품이 등장한 건지? 아니면 천연원료인 우유를 커피에 첨가해 몸에 좋다는 걸 강조하자는 것인지? 아무튼 커피믹스 시장을 공략하기 위해 소비자를 헷갈리게 만들고 있는 건 사실이다.

이에 카제인나트륨의 안전성에 대해 알아보고자 한다. 논란이 되고 있는 카제인나트륨은 인스턴트 프림의 주원료다. 유럽에서는 볶은 커피콩(원두)을 분쇄해 만든 레귤러커피에 우유를 넣어 마셨고, 제2차 세계대전 후부터 편리하게 건조시켜 만든 인스턴트커피가 보급되면서 우유를 건조시켜 인스턴트화한 프림이 인기를 끌게 되었다.

그간 시중의 커피믹스 속 프림에는 우유 대신 카제인나트륨이란 식품첨가물을 이용해 왔다. 우유를 직접 건조해 사용하는 것은 기술적 어려움도 있었지만 카제인나트륨이 점착성, 촉감, 우유 맛을 내면서 유지방이 물에 잘 풀어지게 하는 유화안정성 등의 장점을 갖고 있어 상업적으로 주로 사용되어 왔다.

카제인나트륨은 우리나라뿐 아니라 미국, 일본, 영국 등 선진국에서 안전한 식품/식품첨가물로 인정받고 있다. WHO의 식품첨가물전문가위원회(JECFA)에서는 1970년부터 이미 일일섭취허용량(ADI) 무제한(Not Limited), 즉, 섭취량에 제한이 없는 가장 안전한 첨가물로 규정한 바 있고 우리나라 식품첨가물공전에서도 사용량 및 사용대상 식품에 제한 없이 사용하도록 규정하고 있다.

이번 사건은 과거의 천연비타민, 천연조미료 사건처럼 경쟁사가 만든 비방 광고의 전형적 사례라 볼 수 있다. 우리나라 소비자는 아직도 천연에 대한 막연한 효능과 안전성에 대한 환상을 갖고 있고, 화학/합성 제품 대비 얼마라도 큰 비용을 지불할 준비가 되어 있다. 이러한 소비자의 우매를 상업적으로 이용하는 것은 바람직하지 못한 일이다.

천연이든 화학처리/합성이든 법적 허가를 받은 것은 효능과 안전성을 확보한 것이기 때문에 천연 vs 화학/합성을 흑백논리로 받아들이지 않는 선진 소비의식이 필요하다. 천연과 화학/합성은 해당 물질이 어디서 왔는지 즉, 기원을 말하는 것이지 그 효능과 안전성의 차이를 말하는 것이 아니라는 사실을 명심해야 할 것이다.

오존

최근 채소/과일 세척기, 실내공기살균기 등 오존가스를 이용하는 사례가 늘어나고 있다. 하지만 그 살균효과 뒷면엔 큰 위험성이 자리 잡고 있다.

오존(O_3)은 미국 등지에서 신선편의채소 살균에 대중적으로 사용 중이고, 약 5년 전(2007.9.1) 우리나라에서도 식품위생법 상 식품첨가물로 인정되었으나 이와 관련된 효과와 유해성은 오랫동안 논란이 되고 있다.

오존은 산소원자 3개가 결합된 기체로 비릿한 냄새가 나기 때문에 후각으로 존재 유무를 감지할 수 있으며 강한 산화력을 갖고 있어 물의 정수, 공기의 정화(淨化), 주방의 살균·탈취, 앰뷸런스 차내 살균, 음료수 소독, 표백 등 다양한 분야에서 이용되고 있다.

오존은 특유의 냄새 때문에 '냄새를 맡다'를 뜻하는 그리스어 ozein을 따서 명명되는데, 상온에서는 약간 푸른색을 띠는 기체이나, 액체가 되면 흑청색, 고체는 암자색을 띤다. 기체는 물에 잘 녹지 않으며, 상온에서 자발적으로 분해되어 산소가 되고, 강한 산화력을 가진다.

오존은 1785년 Van Marum에 의해 전기방전 시 냄새나는 기체로 발견되었다. 1801년 Cruiokshank는 물을 전기 분해하는 과정에서 양극에서 발생된 가스가 같은 냄새임을 알아냈다. 그 후 1804년 그 냄새의 원인이 새로운 물질인 3원자의 산소임을 밝혀내고 오존이라고 명명했다. 공기 중 산소가 번개나 태양광선, 자외선과 반응하여 생성되기도 하고, 고전압 하에서 전기적인 힘에 의해 생성되기도 하는 우리 주위에 항상 존재하는 물질이다. 또한 자외선이 풍부한 높은 산, 해안, 산림 등의 공기 중에도 존재해 상쾌한 느낌을 준다.

오존은 산화 작용을 통해 미생물을 불활성화시킨 후 무해한 산소로 분해되므로 식품산업에서 유용하게 사용될 수 있는 안전한 항균물질이다. 또한 단독 처리 시뿐만 아니라 다른 항균물질들과 병행처리할 경우 상승효과를 거둘 수 있어 더욱 유용하게 사용될 수 있을 것이다.

오존에 의한 살균작용은 주로 당단백질, 당지질, 트립토판 등으로 구성된 미생물의 세포막을 공격함으로써 시작된다. 이렇게 오존이 세포 내부로 침투하여 각종 호흡관련 효소, 불포화지방산, 단백질과 핵산, 포자(spore) 등의 구성요소들을 산화시키며, 세포막의 투과도가 증가하면서 세균의 사멸속도가 가속화되고 결국 세포용해가 일어난다. 열이나 외부 요소로부터 안정한 세포의 특정한 구조인 포자도 오존에 의해 불활성화된다는 것이 증명되기도 했다.

오존 살균법은 수십 년 전부터 유럽 등지에서 상하수도 관리와 음용수 정화에 이용되어 왔으며, 국내에서는 주로 폐수 처리에 이용되어 왔다. 최근에 수족관, 공기청정기, 식품 저장고 등의 다양한 범주에서 오존을 이용하는 사례가 늘고 있다.

오존수는 과채류를 비롯한 육류, 가금류, 유제품과 같이 다양한 식품에 존재하는 세균, 바이러스, 효모 등 식품 관련 미생물에 대한 살균효과가 아주 높다.

오존의 살균력은 이미 오래전부터 검증됐지만 안전성 문제가 확증되지 않아 사용이 제한적이었다. 그러나 1997년 미국 식약청(FDA)에 의해 GRAS(generally recognized as safe)로 안전성을 인정받은 이후 식품분야 사용이 증가되고 있다.

우리나라 식약처도 2007년부터 오존을 식품첨가물로 인정하고 있으나, 살균력이 강한 고농도 오존을 발생시키는 장치 개발의 기술적 문제와 작업장 내 환기시설 등 안전관리 문제로 인해 산업화에 어려움을 겪고 있다.

오존 가스는 공기 중 지속성이 짧아 대부분은 물에 녹인 오존수 형태로 사용한다. 오존 자체가 매우 불안한 상태의 고에너지 분자로서 반감기가 짧기 때문에 처리 후 자연적으로 무해한 산소로 분해되어 잔존에 대한 우려가 거의 없다. 특히 불소 다음으로 산화력이 높아 유·무기물 등과 높은 반응성을 보이며, 살균, 탈취, 탈색에 큰 효과를 보인다. 또한 다른 살균법에 비해 식품의 표면뿐만 아니라 조직 내부까지 살균할 수 있다고 한다.

그러나 오존을 고농도로 사용할 경우 탈색되거나 원치 않는 이취가 생성될 수 있다. 일정 농도 이상의 오존에 노출될 경우 기침이나 어지러움증이 동반되고 폐기능 저하, 호흡 곤란 등의 증상이 나타날 수 있어 철저한 주의가 필요하다.

미국 산업안전보건청에서 제시한 오존 농도별 유발 가능한 인체 증상은 0.1ppm 이상 노출 시 두통과 숨 가쁜 증상이 나타나고, 0.25-0.5ppm에 2-5시간 노출되면 폐기능 및 신체 작업능력이 떨어지며, 0.6ppm 이하에서 2시간 노출됐을 경우엔 가슴 통증과 마른기침을 하게 된다고 한다. 만약 1ppm에 1-2시간 노출되면 기침과 심한 피로감을 느끼며, 9ppm에서는 잠시 노출돼도 심각한 폐렴에 이를 수 있다고 한다.

2011년 7월 한국소비자원이 시중 판매되고 있는 오존 발생 제품 12개를 대상으로 오존 발생량 측정 등에 대한 조사를 실시한 결과, 일반적인 환경에서 12개 중 9개 제품이 0.1ppm 이상의 오존을 발생시켰으며, 이 중 절반 이상이 0.5ppm을 초과했고 그 중 한 제품은 매우 위험한 수준인 7ppm 이상의 오존을 발생시켰다고 한다. 또한 용기 내에서 오존을 사용해 살균하는 야채·과일세척기 한 개가 대기 중 오존농도가 1ppm을 초과해 리콜된 적도 있다고 한다.

오존 관련 국제 기준은 일반적으로 대기 중 농도기준 0.1ppm 이하이며, 우리나라 「환경정책기본법」에 따른 대기환경기준은 8시간 평균 0.06ppm, 1시간 평균 0.1ppm으로 미국 등과 유사한 수준이다. 국내에서도 살균기·야채과일세척기 등과 같은 오존발생 제품에 대해 오존 배출농도 기준이 마련돼야 한다는 의견이 제기되고 있다.

오존은 지상으로부터 20-25㎞ 고도에 20㎞ 두께로 비교적 높은 농도로 분포한다. 이 오존층은 태양의 자외선을 흡수하기 때문에 지구 생물의 자외선에 의한 피해를 어느 정도 막아주고 있다. 그러나 최근 급속한 환경오염으로 인해 오존층이 서서히 파괴되고 있어 그 보호대책이 시급하다.

이렇듯 오존은 동전의 양면처럼 위해한 미생물을 죽이는 살균작용과 위해성 두 얼굴을 갖고 있다. 화약, 핵, 칼 등 위험과 이익을 함께 갖고 있는 문명의 이기들처럼 오존도 슬기롭게 사용해 인류에 큰 도움이 되기를 바란다.

조미료 글루탐산나트륨(MSG)

요즘 라면이나 스낵 등 가공식품 포장에 무(無)MSG 또는 MSG 무첨가라는 표현을 자주 볼 수 있다. MSG 과다 복용 시 두통, 메스꺼움 등의 부작용 유발 가능성이 보도됨에 따라 국내 대부분 라면업체는 MSG를 줄이거나 사용하지 않으면서 인공조미료를 기피하는 소비자들의 심리를 이용한 마케팅 전략으로 활용하고 있다.

지난 1993년 음식에 고기 맛을 주는 MSG(Monosodium-L-glutamate, L-글루타민산나트륨)에 대한 위해 논쟁이 크게 불붙은 적이 있었다. 그 해 12월 초 (주)럭키가 새 조미료 맛그린을 시판하면서 사용한 광고가 원인이었다. 타사제품에는 유해성 논란이 있는 MSG가 99-100% 들어 있는 반면 자사제품은 천연조미료라는 주장이었다.

MSG는 세상에 나오자마자 폭발적인 인기를 끌어 지금은 이 조미료가 들어가지 않은 음식이 거의 없을 정도다. MSG는 1908년에 처음으로 일본 도쿄대 화학과 이케다 키쿠나에(池田菊苗) 박사에 의해 다시마를 대량으로 우려내 증발시킨 갈색 결정체 형태로 발견되었다. 이 글루탐산은 1866년 독일에서 먼저 발견되었었지만 그 누구도 조미료로 사용할 생각을 못했었다.

MSG는 식품 제조, 가공 시 맛과 향을 증가시키기 위해 사용되는 식품첨가물로 아미노산인 글루타민산의 나트륨염을 말한다. 일반인들이 맛을 느끼는 최저농도가 소금은 0.2%, 설탕은 0.5%인 것에 비해 MSG는 0.03%로서 매우 낮은 농도에서도 맛을 느낄 수 있다. 또한 짠맛, 신맛, 쓴맛을 완화시켜 주고 단맛을 높여 주는 특성이 있다.

일반 소비자들은 MSG를 글루타민산의 유일한 공급원으로 생각하고 있으나, 이는 유제품, 육류, 어류, 채소류 등과 같이 동식물성 단백질 함유 식품에 천연으로 다량 존재하고 있다. 특히, MSG가 녹은 형태인 글루타민산은 아미노산의 일종이기 때문에 치즈나 간장 등 단백질 식품에 늘 자연적으로 존재한다.

1960년 말 미국 Olney 박사가 MSG는 쥐 실험에서 뇌손상, 시신경 장애 등을 일으킨다고 발표했다. 이에 따라 천식, 비염 등 알레르기 유발, 발암 등 각종 안전성 논란의 표적이 되어 왔으며, 과다 섭취 시 두통, 메스꺼움 등 소위 중국음식점증후군 유발 가능성이 제기되기도 했었다. 그리고 나트륨 성분도 포함돼 있어 고혈압 환자는 섭취량을 줄여야 한다.

그러나 1987년 미국식품과학회(IFT)는 MSG를 설탕이나 소금처럼 아무런 제한 없이 사용할 수 있는 안전한 식품군(GRAS, generally recognized as safe)으로 분류, 사용토록 공식입장을 표명했고 미국 FDA는 GRAS로 분류했다. 일반적인 독성 정도를 비교할 때 사용하는 반수치사량인 LD_{50}(lethal dose 50%)값을 비교해 볼 때, MSG는 19.9g/kg(oral, rat)으로 구연산(Citric acid, 11.7g/㎏), Vitamin C(11.9g/㎏)보다 독성이 조금 약하고, 소금(4g/㎏)보다도 5배나 독성이 약한 매우 안전한 물질이다.

1987년 WHO/FAO의 식품첨가물전문가위원회(JECFA)에서도 MSG를 독성이 낮아 ADI(일일섭취허용량)를 폐지해 양에 대한 제한 없이 사용토록 허용하는 「NS(Not Specified)」 품목으로 관리하고 있을 정도로 안전하다.

MSG가 건강에 미치는 문제에 대해 무조건적으로 두려워 할 필요는 없다. MSG는 원래부터 이미 자연에 존재하는 천연성분이고 독성이 거의 없는 안전한 물질이므로 지나치게 공포를 느끼는 건 기우다. 물론 MSG도 과하면 몸에 좋지 않다. 그러나 섭취 여부를 판단할 때 심각하게 고민해야 할 정도는 아니라는 것이다.

감미료 - 스테비오사이드

소주 한 잔 하면서 "오늘은 소주가 왜 이렇게 달지?"라는 말을 입버릇처럼 하곤 한다. 지난해 우리나라 국민은 소주를 평균 64병 마셨다고 한다. 19세 이상 성인들만 마셨다고 보면, 일인당 84병으로 늘어난다. 소주가 단 것도 큰 영향이 되었을 텐데, 그 단맛은 90%가 스테비오사이드라는 감미료가 낸다고 한다.

스테비오사이드는 2009년에 스테비올배당체로 명칭이 변경 고시되었다. 스테비올배당체는 스테비아의 건조잎에서 얻어지는 성분으로 파라과이, 아르헨티나, 브라질 등의 국경 산간지 습지대에서 자라는 국화과의 여러해살이 풀이다. 스테비아 잎에는 단맛을 내는 스테비올배당체가 6-7% 들어 있고, 파라과이에서는 아주 오래 전부터 원주민들이 스테비아 잎을 감미료로 사용해 왔다. 식품첨가물공전에 천연첨가물로 지정돼 식품에 사용되고 있으나, 백설탕, 갈색설탕, 포도당, 물엿, 벌꿀에는 사용하지 못한다.

소주를 좋아한다면 반드시 알아둬야 할 첨가물이 바로 스테비올배당체다. 설탕보다 300배나 더 강한 단맛을 내 사카린과 비슷한 수준이고, 아스파탐보다 훨씬 강한 당도 때문에 합성첨가물일 것이라는 인상을 준다.

그러나 천연감미료인 스테비올배당체는 식품위생법상 명칭과 용도를 동시에 표시하는 68개 첨가물(합성감미료, 합성착색료, 합성보존료, 산화방지제, 합성보존료, 산화방지제, 합성살균제 등)에 포함돼 있지 않아 소주와 같은 주류에는 표시할 의무가 없다. 즉, 합성감미료만 표시하지 천연감미료는 표시할 필요가 없다는 것이다. 그러나 벨기에에서는 스테비올배당체가 복잡한 추출, 정제공정을 거치므로 천연감미료로 분류되지 않는다. 게다가 현재 유럽연합(EU)에서는 스테비아 식물(*Stevia rebaudiana* Bertoni) 자체가 미승인 신소재식품으로 분류되어 식품에 첨가하는 것이 허용되지 않고 있다.

이러한 스테비올배당체의 유해성 논란은 오래전부터다. 스테비오사이드의 대사산물인 스테비올은 유전독성 등을 일으키는데 스테비오사이드가 소주 속 알코올과 합쳐질 경우 독성의 상승작용이 일어난다는 주장이 있었다. 그러나 사실상 스테비오사이드는 알코올과 반응해도 안정하며, 공정 중에는 결코 스테비올로 전환되지 않아 안전하다고 한다.

스테비오사이드의 쥐 대상 경구 반수치사량(LD_{50})은 체중 ㎏당 8.2g이다. 구연산(11.7g), 비타민C(11.9g)보다 독성이 조금 강하고, 소금(4g)의 절반밖에 되지 않아 비교적 독성이 약한 안전한 물질이다. 일일허용섭취량(ADI) 또한 체중 ㎏당 4㎎으로 60㎏ 성인 기준 하루 240㎎인데, 성인이 스테비오사이드의 ADI를 초과하려면 소주 39ℓ 를 마셔야 한다. 소주 한 병이 360㎖이니, 약 110병을 먹어야 한다는 것이다. 스테비오사이드의 위해성이 나타나기 전에 알코올의 독성이 우선 발현돼 못 견딜 것이다. 제아무리 소주를 사랑한다 하더라도 현실적으로 ADI를 초과한 스테비오사이드를 섭취할 수는 없을 것이다.

유해성 논란은 결국 섭취량이 적어 인체에 유해한 영향을 미치지 않는다고 재판명되었다. 스테비오사이드는 안전한 첨가물이라 소비자는 불안해할 필요가 없다. 더 이상 불필요한 위해성 논란으로 국내 수출산업을 위축시키고 소비자를 불안하게 만드는 일이 없었으면 한다.

인산염 오징어

최근 인산염 희석수에 불려 무게를 늘린 오징어를 판매해 부당이익을 취한 사건이 있었다. 소위 물코팅이라고 하는데, 오징어살을 인산염 희석액에 담그면 부드럽게 스펀지처럼 변하고 물을 흡수해 약 15-20% 증량이 가능하다고 한다. 보통 수산물은 인산이온이 검출되지 않거나 ℓ 당 50㎕ 이하로 검출되는데, 정상 제품보다 28배나 높은 ℓ 당 1,400㎕의 인산이온을 함유하고 있었다고 한다.

인산염(phosphate, 燐酸鹽)은 인산의 염인 무기화합물이다. 인산의 종류에 따라 오쏘인산염, 메타인산염, 이인산염, 삼인산염 등이 있으나, 일반적으로 오쏘인산염(정인산염)을 가리킨다.

인산염은 식품에 첨가되어 다양한 기능을 갖는데, 유화제, 흡착제, 산도조절제, 팽창제, 소포제, 습윤제, 고결방지제 등 다양한 용도로 사용 가능하다. 특히 햄, 소시지 등 식육연제품에 사용돼 결착성을 높여 씹을 때 식감을 향상시키고, 탄력, 보수성, 팽창성을 증가시켜 조직감을 개량한다. 또한 맛의 조화와 풍미의 향상을 가져오며, 변질, 변색 방지 효과도 갖고 있다.

인산염이 고기의 보수성을 높이고 결착성을 좋게 하는 메커니즘은 근육

중 미오신, 액틴, 액토미오신 및 ATP가 관련되어 있다고 한다. 인산염은 이러한 고기의 단백질 수화성을 증진시키는 효과를 갖고 있어 식육제품의 끈기를 강하게 한다.

인산염은 우리나라를 포함 전 세계적으로 사용기준 없이 식품첨가물로 허용되어 있을 정도로 안전한 물질이다. 급성독성은 소금과 비슷한 수준이며, 미국에서는 GRAS-1 또는 GRAS-2에 속해 매우 안전한 첨가물로 분류되고 있다. 사람에 대한 최대일일허용섭취량(Maximum Tolerable Daily Intake, MTDI)은 체중 ㎏당 70㎎이다.

그러나 다량으로 섭취할 경우 두통이나 구역질, 쇼크나 혈압 강하, 혼수상태, 운동장애 등 치명적 인체 손상을 초래할 수 있고, 칼슘이나 철분의 흡수가 떨어져 골다공증이나 빈혈 발생빈도를 높이는 등 각종 부작용이 있다고 알려져 있다.

인산염은 몸속에 축적된다. 배출되는 정도가 미약해 먹지 않을수록 좋은 소소익선의 물질이다. 비록 식품첨가물로 허용되어 있기는 하나 모든 첨가물은 독성이 있다. 식품에서 꼭 필요한 기능이 없다면 굳이 사용할 필요가 없다. 특히, 중량 증가나 소비자를 현혹시켜 부당이익을 목적으로 고의적으로 사용하는 경우는 철저히 금지시키거나 강력한 처벌로 예방해야 할 것이다.

정부에서는 인산염과 같이 식품가공에 많이 사용되는 식품첨가물에 대한 구체적인 사용기준과 허용기준치 마련을 생각해 봐야 할 것이다.

콜라 캐러멜색소

글로벌 음료인 콜라에서 발암물질 검출 보도로 세상이 떠들썩하다. 이 이슈는 2012년 3월 미국 캘리포니아 주에서 시작됐는데, 콜라의 짙은 갈색을 내는 캐러멜색소에서 4-메틸이미다졸(4-MI)이라는 발암가능물질이 발견됐다는 것이다.

캐러멜(caramel)은 설탕이나 포도당 자체를 끓여서 검게 만든 것이다. 포도당, 설탕, 전분의 당화엿 등 당류를 소량의 물과 함께 가열하면 150-200℃에서 갈색화돼 달고 향기로운 물질로 변하는데, 이것이 캐러멜이다. 캐러멜색소(Caramel color)는 비타르계 천연색소로 간장, 과자류, 청량음료류, 알콜성 주류 등에 식품착색제로 사용된다. 물에 잘 녹고 암갈색 또는 검은색의 색소다. 냄새는 없거나 설탕 탄화의 특이한 냄새가 있으며, 상쾌한 쓴맛을 갖고 있다. 산에 안정해 탄산음료에 사용하는 캐러멜색소, 빵에 사용하는 캐러멜색소, 건조 캐러멜 등이 있으나, 최근에는 액상캐러멜을 분말화한 캐러멜을 사용한다.

캐러멜색소는 설탕을 만들고 남은 찌꺼기인 당밀을 10시간 이상 끓여 만드는데, 당밀 자체만으로 끓이면 오래 걸리고 색이 잘 검어지지 않는다. 그래서 업계에서는 시간과 비용을 절감하기 위해 암모니아를 첨가하는데, 이

공정 때문에 시중에 유통되는 대부분의 캐러멜 색소는 4-MI라는 발암가능물질이 생성된다.

최근 동물실험에서 폐종양을 일으켰다는 보고가 나온 후 캐러멜색소 함유 식품의 안전성이 논란의 중심에 서 있다. 국제암연구소(IARC)는 4-MI를 발암가능물질(possibly carcinogenic)인 2군 발암물질(2B)로 분류하고 있다. 캐러멜색소는 Ⅰ, Ⅱ, Ⅲ, Ⅳ가 있는데, 암모늄을 첨가해 만드는 캐러멜색소는 Ⅲ, Ⅳ이기 때문에 우리나라와 유럽(EU)에서는 이 두 가지만 제조과정 중 발생되는 4-MI를 250ppm 이하로 기준을 설정해 관리하고 있다. 그러나 미국에서는 Ⅰ-Ⅳ 모두를 250ppm 이하로 관리한다.

외국에서 유통 중인 코카콜라의 4-MI 평균함량은 미국 0.4ppm, 캐나다·멕시코·영국 0.4-0.45ppm, 일본 0.2ppm, 브라질 0.75ppm 수준이다. 미국 FDA는 자국 내 유통 중인 코카콜라에서 검출된 4-MI 평균함량이 355㎖ 기준 103㎍으로 70kg 성인이 하루에 1,000 캔 정도 마셔도 안전한 수준이라고 발표했다. 국제식품첨가물전문가위원회(JECFA)와 유럽식품안전청(EFSA) 등도 현재 4-MI 기준인 250ppm 이하로 관리되는 캐러멜색소의 섭취로 인한 4-MI의 노출량은 독성학적으로 걱정할 수준이 아니라고 평가하고 있다.

우리나라 식약처 또한 2012년 7월 조사된 국내 유통 8개사 16개 제품의 콜라 중 4-MI의 노출량이 평균 0.271ppm으로 캐러멜색소 중 4-MI 허용기준(250ppm) 대비 약 0.1% 수준으로 매우 안전하다고 평가했다.

그러나 미국 캘리포니아 주는 이 성분을 발암물질로 규정, 하루 30㎍ 이상 섭취할 경우, 발암 경고문구 부착을 의무화하는 안전규정을 운영하면서 4-MI의 발생량을 대폭 감소시켰다고 한다. 그러나 국내에서 유통되고 있는 콜라의 4-MI 평균농도인 0.271ppm은 355㎖ 용량 캔 기준으로 4-MI가 약 96㎍ 포함돼 있다. 국내 유통되는 콜라는 한 캔만 마셔도 캘리포니아 주 하루 기준치의 3배 이상을 섭취하게 되는 것이며, 캘리포니아 주에서 판매중인 콜라가 4㎍ 함유하므로 미국 내 판매 제품보다 24배 이상 많이 검출된다는 것이다.

이에 소비자시민모임은 콜라의 4-MI 허용기준을 미국 캘리포니아 주 수준으로 낮추라는 요구를 하고 있다. 최근 청소년을 중심으로 콜라와 같은 탄산음료 소비가 급증하고 있어 섭취량이 늘어나는 추세이므로 정부는 소비자시민모임에서 제안한 국내 4-MI 허용기준을 재검토해야 할 것이다. 비록 현실적으로 수용하기 어려운 수준이라 하더라도 4-MI는 소비자의 몸에 좋을 것이 하나도 없는 물질이라 섭취량을 줄이도록 노력하는 모습을 보여야 할 것이다.

구연산

산미료는 식품에 신맛을 내기 위해 사용하는 식품첨가물로 구연산, 아세트산, 말산, 푸마르산, 글루코노델타락톤 등이 있다. 이들은 신맛 외에 향미료이기도 하며 pH를 조절함으로써 완충제 또는 보존료 역할을 해 가공식품에 널리 사용되고 있다.

그 중에서도 구연산(citric acid)은 상쾌한 신맛을 더해주는 유기산으로 자연에서는 감귤류에 많이 존재한다. 구연산은 처음에는 상업적으로 레몬으로부터 추출, 제조됐고, 1920년대 이후에는 진균을 이용한 당발효를 통해 대량 생산됐다. 이는 미생물의 생육억제, 청량감과 상큼한 맛 전달, 피로회복, 산화방지 등 많은 기능을 갖고 있어 식품가공에서 매우 중요하게 대접받고 있다.

구연산은 백색의 결정 또는 분말로, 냄새가 없고, 강한 산미를 가진다. 결정물과 무수물이 있어 결정구연산과 무수구연산으로 나뉜다. 결정구연산은 청량음료, 혼성주, 캔디, 젤리, 잼, 빙과, 통조림 등의 산성조미료 및 식용유의 산패방지제로 사용되며, "무수구연산"은 분말주스, 가루발포주스, 분말셔벗, 분말케첩, 츄잉껌 등 수분함량이 적은 식품이나 가루식품의 산미료로 사용된다.

구연산은 미국, EU를 포함 우리나라에서도 식품에 직접 사용되는 식품 첨가물 이외에 기구 등의 살균소독제로 널리 사용되고 있다. 식기류나 도마, 칼 등의 조리기구 살균·소독 목적 이외에 음료용 PET병, 유리병, 금속 캔 등의 용기·포장의 살균·소독 목적에도 사용 가능하다.

생물 세포 내 미토콘드리아에서 일어나는 가장 보편적인 물질대사 주요 경로인 TCA cycle(Tricarboxylic Acid Cycle, 크레브스사이클, 구연산사이클)을 보면 인간이 포도당을 섭취해 에너지(ATP)를 생성하는 과정에서 구연산이 생성된다. 즉, 구연산은 인체 대사과정에서 자연스럽게 생성되므로 다른 첨가물보다 상대적으로 인체에 안전하다고 볼 수 있다.

구연산의 쥐를 대상으로 한 반수치사량(LD_{50})은 체중 kg당 11.7g으로 비타민C(11.9g/kg)와 비슷한 독성을 가진다. 또한 GRAS-1에 속하는 물질이며, 일일섭취허용량(ADI)을 별도로 제한하지 않을 정도로 안전한 물질이다. 식품첨가물로 사용되는 구연산은 일반적으로 식품에 0.001-1% 정도밖에 첨가되지 않으므로 식품을 통한 구연산 섭취의 위해성은 무시해도 된다는 것이다.

단, 구연산이 첨가된 음료 섭취 시 주의할 점은 치아(齒牙)다. 특히, 치아의 범랑질을 상하게 할 수 있는데, pH 5.5 이하 환경에서 치아의 범랑질이 손상되기 시작한다. 소량의 구연산 첨가만으로도 pH 2-3 정도의 산성상태를 유도할 수 있어 구연산 섭취 후에는 치아 건강을 위해 바로 양치를 하거나 음료를 마실 때는 빨대를 사용하는 것이 좋다.

또한 다량복용 시 낮은 산도에 의한 위장장애를 일으킬 수 있어 주의가 필요하다. 소비자 스스로가 건강을 위해 섭취 시 주의사항을 잘 지킨다면 구연산은 오랫동안 상큼한 신맛을 즐기는 데 도움을 줄 것이다.

인공감미료(1) - 아스파탐

최근 식음료와 의약품에 인공감미료인 아스파탐의 사용을 금지하도록 하는 법안이 필리핀 의회에 상정되었다. 아침식사용 시리얼, 냉동디저트, 요거트, 음료 등에 아스파탐 사용을 금지한다는 내용의 법안을 제출한 의원은 아스파탐이 현재까지는 식품에 첨가되는 가장 유해한 물질이며, 미 식약청(US FDA)에 보고된 식품첨가물 부작용 사례의 75%를 차지한다고 주장했다.

우리나라에서 다이어트는 식도락가나 단맛을 즐기는 사람들, 특히 아름다운 몸매를 추구하는 여성들의 영원한 숙제다. 비단 한국뿐만 아니라 전 세계적으로 비만은 인류의 큰 고민거리가 되었다. 지난 10년간 우리나라 비만인구는 1.6배 증가했고, 총 인구의 1/3 이상이 과체중이라고 한다. 전체인구의 2/3가 과체중인 미국에 비할 바는 못 되나 시간이 가면서 미국을 쫓아갈 것이 자명하다. 비만은 그 자체의 건강상 피해도 크지만, 다른 치명적인 질병을 유발해 개인과 국가 의료비 부담을 급격히 증가시키고 개개인의 생산성을 급격히 저하시키는 인류 최대의 적이다.

우리 몸은 스트레스를 받으면 행복감과 밀접하게 연관돼 있는 세로토닌이라는 물질을 감소시킨다. 이 세로토닌의 주성분은 트립토판이라는 아미노산인데 당이 뇌의 트립토판 흡수를 촉진시켜 단 것을 먹으면 행복함을 느낀다고 한다. 식품 중 이 단맛을 제공하는 주원료가 바로 설탕인데, 비만 환자의 기피 대상이기도 하다.

이러한 이유로 최근 설탕보다 강한 단맛을 내면서 칼로리가 거의 없는 인공감미료가 각광받고 있다. 이는 다이어트용 저칼로리식품, 당뇨식, 음료와 주류 등에 많이 사용되고 있다. 우리나라에는 삭카린나트륨, 아세설팜칼륨, 수크랄로스, 아스파탐 네 종류의 인공감미료가 허용돼 있다.

이 중 아스파탐(aspartame, $C_{14}H_{18}N_2O_5$)은 아스파르트산(aspartic acid)과 페닐알라닌(phenylalanin) 2개의 아미노산으로 구성된 저칼로리 감미료이며, 결정성 분말로 물에 잘 녹아 청량음료에 주로 사용된다. 이외에도 발효음료, 가공우유, 껌, 과자, 다이어트 음료나 당뇨병 환자식 등에 주로 사용된다. 특히 음료류에 가장 많이 사용되는 이유는 음료에 첨가 시 포도, 오렌지, 레몬 등 과일향을 강화하는 효과가 있으며, 커피의 쓴맛을 줄여주는 효과가 있기 때문이다.

아스파탐은 1965년 미국의 Searle사에서 궤양치료제를 만들다 우연히 개발된 물질로 아미노산이 주원료이기 때문에 체내에서는 단백질과 같이 분해, 소화·흡수되고 칼로리는 1g당 4kcal다. 설탕과 가장 유사한 감미를 보이며, 설탕과 칼로리는 같지만 200배 단맛이 강해 미량만 사용하면 된다.

아스파탐은 우리나라에서 1985년부터 사용이 허가되었으며, CJ제일제당이 화인스위트라는 이름으로 생산을 시작한 이후, 현재는 (주)대상이 세계적인 생산업체로 성장했으며, 외국에서는 미국의 뉴트라스위트사와 일본의 아지노모토사가 유명하다.

인공감미료의 안전성 논란은 지금까지 계속되고 있다. 아스파탐도 개발 당시 뇌장해 발생의 의심이 있어 논란에 휩싸였으나, 급성독성, 만성독성, 최기형성, 변이원성, 발암성이 없어 현재 120여 개국 5,000여 가지 식품에 사용되고 있다. 이는 1974년 최초로 미국에서 사용이 허가됐으나, 안전성 논란으로 1년 만에 허가가 취소됐으며, 안전성 검증을 통해 1981년부터 사용이 재허가돼 현재에 이르고 있다.

우리나라에는 빵류, 과자 및 그 제조용 믹스에 0.5g/kg, 체중조절용 조제식품에 0.8g/kg, 시리얼류 및 특수의류용도식품에 1.0g/kg, 건강기능식품에 5.5g/kg의 사용만이 허가되어 있다. 그러나 미국의 경우에는 뜨거운 음료와 빵, 그 제조용 믹스에서만 사용량을 규제하고 기타식품에서는 양에 대한 제한 없이 사용이 허가되어 있다.

FAO/WHO의 합동식품첨가물전문가위원회(JECFA)에서는 아스파탐의 1일섭취허용량(ADI)을 체중 kg당 40mg으로 정하고 있다. 2008년 한국보건산업진흥원에서 실시한 우리 국민의 아스파탐 섭취량조사에 따르면, ADI대비 0.3%에 불과해 우리 국민들의 아스파탐 섭취는 인체 안전에 전혀 문제가 없는 것으로 밝히고 있다.

아스파탐은 단맛이 설탕의 200배임에도 불구하고 저칼로리 감미료라 설탕 섭취를 피해야만 하는 비만, 당뇨병환자에게는 귀중한 보물이다. 또한 설탕과 가장 유사한 단맛을 내 첨가 시 맛에 지장을 주지 않아 식품산업에서도 적극 활용하고 있다. 소비자들은 식품첨가물이 무조건 나쁘다는 인식을 버리고 첨가물의 단점을 최소화하며, 장점을 적극 활용하는 영리한 소비행동이 필요하다. 또한 무조건적으로 첨가물을 거부하는 것보다는 영리하게 사용하는 것이 이익이라는 의식을 가져야 할 것이다.

인공감미료(2) - 아세설팜칼륨

최근 방송에서 인공감미료 특히 합성첨가물의 안전성 문제를 거론하며 소비자에게 부정적인 인식과 불안감을 조성하고 있다. 일부 독성이 강한 인공감미료를 언급하며, 모든 감미료가 건강에 좋지 않다고 여론을 몰아가고 있다. 특히, 칼로리 없이 단맛을 내는 인공감미료인 아세설팜칼륨이 언론에 자주 오르내린다.

아세설팜칼륨(Acesulfame Potassium, $C_4H_4KNO_4S$)은 백색의 결정성 분말로 냄새가 없으며, 물에 잘 녹는다. 또한 설탕보다 200배 강한 단맛을 지닌 무열량감미료로 설탕을 대체하며 과일, 채소, 어육 조림 등에 주로 사용된다. 이외에도 건과류, 앙금류, 껌, 잼류, 절임류, 빙과류, 아이스크림류, 음료류, 가공유, 발효유, 영양보충용식품 등에 널리 사용된다.

아세설팜칼륨은 독일 훽스트(사)에서 1967년에 합성해 아세설팜이라 명명했고, 1978년 WHO가 이의 칼륨염을 아세설팜칼륨이라 이름 붙였다. 체내에서 대사가 되지 않고 24시간 내에 소변으로 97.5-100% 배설되기 때문에 혈당치와 인슐린 분비에 영향을 주지 않아 당뇨병 환자에게 매우 좋은 설탕대체제다.

그러나 일부 쥐를 대상으로 한 연구에서 아세설팜칼륨이 암의 원인이 될 수 있다는 결과를 보여, 미국공립과학센터(CSPI)는 1996년 미 식약청(FDA)에 청량음료에 대한 아세설팜칼륨 허가 시 주의가 필요하다고 언급하는 등 안전성 문제를 제기하고 있다. 그러나 과량일 경우, 문제시 될 수 있으나 음료, 껌 등 식품에 사용되는 양은 극소량으로 건강을 걱정하지 않아도 되는 양이다.

아세설팜칼륨은 개발된 이래로 15년 이상 사용되고 있으나 사람에 대해 어떠한 위해성 문제도 보고된 바 없다. FAO/WHO 식품첨가물전문가위원회(JECFA)에서 정한 1일섭취허용량(ADI)은 체중 1㎏당 0-15㎎으로 매우 안전한 물질이다. 현재 100여 개 국가에서 식품첨가물로 허용되어 있는데, 우리나라에서는 지난 2000년에 허용되었다.

지난 2004년 실시한 식품 중 아세설팜칼륨 섭취량에 관한 연구에서 국민 1인당 1일 섭취량은 1.25㎎으로 ADI(15㎎)를 체중 55㎏ 성인의 섭취량으로 환산했을 때의 양인 825㎎에 비하면 약 0.2% 수준으로 식품을 통한 아세설팜칼륨의 섭취는 매우 안전하다고 판단할 수 있다.

이렇듯 식품을 통한 인공감미료의 섭취량은 매우 적어 인체 건강에 미치는 영향은 매우 미미하다고 볼 수 있다. 그러나 소비자들은 여전히 아세설팜칼륨을 포함한 인공감미료의 공포에 휩싸여 있다. 이는 소비자가 첨가물에 대한 막연한 부정적 인식과 불안감을 애초부터 갖고 있어 간혹 발생하는 첨가물의 부정적인 면을 크게 확대 해석하는 경향이 있다.

이러한 문제를 해결하기 위해서는 우선 정부의 적극적인 소비자 대상 교육과 홍보, 대학과 연구기관의 정확하고 소신 있는 과학적 사실에 대한 대국민 커뮤니케이션, 언론과 기자들의 정확한 정보 전달이 중요하다. 또한 잘못된 정보에 대한 선입견을 바꾸지 못하고, 부정확하고 무분별한 정보를 선별하지 못하고 그대로 받아들이는 소비자들의 태도 변화도 필요한 시기라 하겠다.

인공감미료(3) - 수크랄로즈(Sucralose)

인류는 오래 전부터 단맛을 내는 천연물질을 식품에 첨가해 왔다. 대표적으로 설탕, 벌꿀, 물엿, 포도당 등이 있는데, 이러한 단맛을 내는 물질을 감미료라고 하며, 천연감미료와 인공감미료로 구분한다.

최근 비만과 당뇨병이 사회적 문제로 등장함에 따라 설탕 등 당류를 대체할 저칼로리감미료에 대한 관심이 급증하고 있다. 이에 따라 열량이 없는 인공감미료가 주목을 받고 있다. 그 중 설탕을 원료로 합성, 제조되는 수크랄로스가 설탕과 가장 유사한 단맛을 내며, 열량 없이 설탕보다 600배 정도의 강한 단맛을 내 특별히 주목받고 있다.

수크랄로스(Sucralose, $C_{12}H_{19}Cl_3O_8$)는 흰색 또는 엷은 회백색의 결정성 가루로 냄새가 없는 강한 단맛의 감미료다. 건과류, 껌, 잼류, 음료류, 가공유, 발효유, 영양보충용식품 등에 사용된다. 아스파탐이 고온에서 분해되는 것과는 달리 수크랄로스는 고온에서도 안정하기 때문에 제조 시 가열하는 레토르트, 통조림 등 가공식품에도 적용할 수 있다. 우리나라의 경우, 식품별로 0.04-1.2%로 제한해 사용토록 하고 있다.

섭취된 수크랄로스의 대부분은 체내에 흡수되지 않고 그대로 배설되므로 칼로리가 거의 없으며, 비교적 안전한 물질로 인식되어 모든 식품에 사용이 가능하다. 그러나 수크랄로스는 장내 유익균의 수를 줄여 장 감염의 위험을 높이며, 약물저항성을 높여주거나 약물대사를 촉진시키는 체내 효소를 발현시켜 항암제 치료중인 환자들에게는 위험할 수 있다.

수크랄로스는 우리나라를 포함, CODEX, 미국, 일본, EU(유럽연합) 등에서 첨가물로 허용되어 있다. 1일섭취허용량(ADI)은 체중 ㎏당 15㎎이며, 반수치사량인 LD_{50}는 쥐의 경우 체중 ㎏당 16g이다. 구연산(11.7g), 비타민 C(11.9g)보다 독성이 약하고, 소금(4g)의 1/4밖에 되지 않아 독성이 매우 약한 안전한 물질이다.

그러나 독성이 약하다고 안전을 과신하고 지나치게 과량 섭취하는 것은 금물이다. 식약처가 시중 유통되는 가공식품에 사용된 6개 인공감미료 섭취량조사에 따르면, 우리 국민 열 명 중 한 명 꼴로 수크랄로스의 ADI를 초과 섭취해 지나치게 많이 먹고 있다고 한다. 특히 과자류 섭취가 많은 12세 이하 어린이의 인공감미료 섭취량은 ADI의 18~58% 수준으로 전체 국민평균보다 높다고 한다.

이처럼 수크랄로스는 두 얼굴을 갖고 있다. 설탕을 대체해 비만을 방지하면서 단맛을 주는 좋은 역할도 있지만 과량 섭취 시 독성 문제도 내포하고 있다. 무조건적인 인공감미료의 기피 또는 맹신은 위험하고, 양을 잘 따져서 섭취해야 한다. 이는 장점도 많지만 우리 몸에 들어와 좋을 것이 하나도 없는 소소익선의 물질이므로 가능한 표시를 잘 확인해 섭취량을 조절하는 영리한 소비자가 되기를 바란다.

껌베이스 – 초산비닐수지(Polyvinyl acetate)

2010년 O사가 100% 천연치클을 사용해 만든 껌 내츄럴치클(Natural Chicle)을 출시했다. 지금까지 국내에서 생산된 모든 껌에는 초산비닐수지가 들어갔으나, 이를 대체한 천연치클을 사용했다는 것이다. 이는 소비자고발, 스펀지 등 TV프로그램을 통해 초산비닐수지의 제조공정 전 단계인 초산비닐이 페인트·접착제와 같은 성분이며 석유를 원료로 합성된 것으로 유해성 논란이 있은 직후의 일이다.

특히, "초산비닐수지껌을 뱉어라"는 광고를 내보내면서 안전성 논란에 불을 다시 지폈고, 동시에 소비자들을 혼란에 빠뜨렸었다. 전 세계적으로 껌 소비량이 가장 많은 나라는 미국으로 성인 1인당 약 360개, 우리나라는 90개(200g), 중국은 우리나라의 절반인 정도라고 한다.

껌은 AD 2세기경 멕시코 마야문명으로부터 유래되었다. 인간의 씹고자 하는 충동 습관이 기원전부터 있었던 것으로 생각되는데, 마야족 동굴벽화에 기록되었다. 이후 마야족의 멸망으로 아메리칸 인디언들에 의해 나무의 수액으로 껌과 비슷한 것을 만드는 방법이 전해져 왔다. 오늘날의 츄잉껌은 1880년대 미국의 토마스 아담스에 의해 상품화되었다.

멕시코에서 자라는 사포딜라나무(*Achras zapota*)의 라텍스인 치클을 뜨거운 물속에 넣어 부드럽게 한 다음 손으로 동글게 만들어서 약국에 판매한 것이 츄잉껌의 원조가 되었다. 1940년대 이후 천연치클의 양이 줄어들면서 초산비닐수지(Polyvinyl acetate) 등 껌기초제에 유화제, 색소, 감미료, 착향료 등을 첨가하여 제조하게 되었다. 제2차 세계대전이 일어나기 전 츄잉껌과 풍선껌은 오직 미국에서만 생산되었으나 미군들에 의해 유럽 및 세계 각국에 전파, 대중화되었다. 우리나라에도 한국전쟁 무렵 연합군이 들어오면서 대중화되기 시작했고, 해태제과에서 처음으로 풍선껌을 만든 것이 우리나라 츄잉껌의 시초다. 츄잉껌이 공업적으로 본격 생산된 것은 1890년대 초반 윌리엄 위그리가 회사를 설립해 미국 전역에 판매하면서부터다.

1986년부터 국산화된 껌베이스(기초제)는 껌에 적당한 점성과 탄성을 가지게 하여 그 풍미를 유지하는데 중요한 역할을 하는 식품첨가물들을 말하며, 주원료는 천연치클과 초산비닐수지이고, 그 외 에스테르검, 폴리이소부틸렌, 왁스 등도 원료로 사용된다. 우리가 대체로 섭취하는 껌의 주원료인 초산비닐수지는 초산비닐(Vinyl acetate monomer)을 중합하여 만든 무색, 무미, 무취의 합성고분자물질로서 껌기초제 뿐 아니라 과실 등의 피막제로도 사용할 수 있으나, 이 외의 용도로는 식품에 첨가할 수 없다. 식품첨가물 이외의 용도로는 접착제, 도료피막제품, 잉크 등에 사용되고 있다.

초산비닐수지는 석유에서 분해·정제한 에틸렌(ethylene)을 산소존재 하에 초산(acetic acid)과 반응시켜 얻은 초산비닐을 중합하여 만들어진다. 초산비닐수지는 인체 독성이 적어 안전하지만, 초산비닐은 독성이 강하고 발암가능성이 있다. 초산비닐의 중합처리가 제대로 되지 않았을 경우에 초산비닐이 잔류할 가능성이 있어 초산비닐수지의 안전성 문제의 원인이 되고 있다.

초산비닐은 국제암연구소(IARC)의 2군 발암물질(Group 2B, 동물실험에서는 발암성에 대한 충분한 증거가 있으나 인체 발암성은 증거가 부적절한 물질)로 지정되었다. 이에 식약청에서는 초산비닐수지의 초산비닐 잔류량을 5ppm 이하로 관리하고 있다. 2009년 실시한 껌 29종의 초산비닐 잔류량 실태조사 결과, 검출되지 않았다고 한다. 또한 2009년 캐나다 보건성에서도 초산비닐의 유해성은 인정하지만, 초산비닐을 원료로 한 대다수의 제품에서 검출된 양이 매우 적어 인체에 미치는 영향이 미미한 것으로 판단해 독성물질에서 제외한 바 있다.

초산비닐수지의 안전성 논란을 불러일으켰던 언론매체들은 식품업계와 소비자들을 혼란스럽게 했다. 초산비닐수지는 한국, 미국, 일본, 유럽에서 껌기초제로 법적으로 허용해 사용되는 안전한 식품첨가물이다. 언론 및 식품업계는 더 이상 초산비닐수지에 대해 오해를 일으키는 행위를 하지 말아야 할 것이다. 껌 제품의 성분표시를 보면, 껌베이스의 원료에 대한 별도의 표시 없이 껌베이스라고만 표시되어 있는데, 이는 소비자들이 껌베이스에 사용된 식품첨가물에 대한 정보를 알 수 없으므로, 껌베이스 원료에 대한 정보를 표시하는 것이 필요하다.

팝콘 버터향 디아세틸

지난 2007년 미국의 한 팝콘 마니아가 일명 'Popcorn Worker's Lung'(팝콘작업자의 폐)이라는 기관지폐색증으로 진단 받았다. 팝콘 첨가제인 버터향 디아세틸(diacetyl)에 대한 안전성 논란이 이슈화되기 시작했다. 또한 디아세틸이 폐질환뿐만 아니라 알츠하이머를 유발한다는 연구결과가 발표되고, 합성향료의 위험성이 공중파를 타면서 착향료에 대한 소비자의 불안이 가중되었다.

착향료(flavor)란 상온에서 휘발성이 있어 특유한 향기를 느끼게 해 식욕을 증가시키고 상품가치를 높이는 물질을 말한다. 이는 동식물을 기원으로 추출된 천연착향료, 천연향료 성분과 화학적으로 동일하게 화학적 합성으로 제조되는 천연과 동일한 향료, 동식물 기원물질 중 존재하지 않는 합성향료 등 세 가지로 분류된다.

200만 개 이상의 유기화합물 중 향기 나는 물질이 40만 종인데, 이 중 식품에는 천연향이 주로 이용된다. 그 중 팝콘 제조에 사용되는 버터향 디아세틸은 발효로 생성되며, 마가린이나 커피 등에 향료로 사용된다. 황록색 액체로서 유기용매와 물에 잘 녹으며, 식물성 정유(精油) 등에 포함돼 있다.

Codex, 미국, EU는 착향료의 안전성 평가를 수행해 개별 허용품목 목록(Positive list)을 작성해 관리하고 있다. 우리나라에서 허용되는 착향물질은 약 1,800품목으로 2007년에 Positive list를 법규화했고, 식품첨가물공전에 등재된 원료뿐 아니라 Codex 등 국제적으로 통용되는 것은 모두 사용 가능토록 했다.

최근 이슈화된 버터향 디아세틸은 식품첨가물공전에 등재된 합성향료이며, 국제식품첨가물전문가위원회(JECFA)에서도 그 안전성이 입증된 향료다. 유럽회의(CoE, Council of Europe)에서는 디아세틸을 음료제품에 5ppm, 식품에는 50ppm까지 허용하고 있다.

쥐를 대상으로 한 디아세틸의 반수치사량(LD_{50})은 체중 kg당 1.58g이다. 초산(3.1g)보다 2배, 소금(4g)보다는 2.5배 독성이 강해 비교적 안전한 물질이라는 것이다.

그러나 디아세틸에 의한 기관지폐색증 환자가 나타나기 시작하면서 안전성 문제가 다시 등장하게 되었다. 팝콘 공장에서 근무하는 작업자들은 디아세틸에 만성적으로 노출돼 일반인들과는 달리 비강 손상, 기관지 주변 림프구성 염증이 일어날 가능성이 높다는 연구결과도 나왔다. 또한 10년 동안 매일 전자레인지용 팝콘을 두 봉지씩 먹은 극단섭취자에서도 기관지폐색증 사례가 보고됐다.

그러나 착향료로써 소비되는 디아세틸의 양을 고려해보면 보편적인 소비자들에게는 매우 안전하다고 한다. 합성첨가물의 유해성이 제기되면 소비자들은 극도로 불안해한다. 식품첨가물에 대한 오해나 과장된 정보를 줄이기 위해서는 정부와 언론의 노력이 필요하며, 소비자 또한 첨가물에 대한 지식을 숙지하고 적절한 양을 섭취하는 생활태도가 중요할 것이다.

베이킹소다(탄산수소나트륨)

과거에는 생존을 위해 영양소를 갖춘 것을 식품으로 섭취했다면, 현재는 안전하지 않은 것은 식품으로 보지 않을 정도로 안전성이 영양과 기호, 기능성보다 앞선 식품의 필수 불가결한 기본요인이 되었다.

어릴 때 부모님께서 집에서 빵을 만들어 준 적이 있을 것이고 방과 후 학교 앞에서 달고나를 사 먹어 본 적도 있을 것이다. 국자에 열을 가해 설탕을 녹이고 베이킹소다를 넣어주면 부풀어 오르고, 빵도 풍선처럼 커지는 것이 신기했던 기억이 난다.

빵과 달고나 만들 때 쓰이는 베이킹파우더는 베이킹소다라 불리는 탄산수소나트륨이 주성분이다. 이는 가열하면 탄산나트륨(Na_2CO_3), 물(H_2O), 이산화탄소(CO_2)로 분해되어 빵과 녹은 설탕에 기포를 생기게 해 부풀게 만든다.

탄산수소나트륨(sodium hydrogen carbonate, $NaHCO_3$)은 중탄산나트륨 또는 베이킹소다라 불린다. 1801년 Rose에 의해 처음 합성된 백색의 결정성 분말로 물에 쉽게 녹는다. 이는 의약품용으로는 제산제(制酸劑), 알칼리제 등으로 사용된다. 콜라 속에 포함된 탄산수소나트륨과 콜라의 탄산으로부터 발생한 이산화탄소 기포가 위석 표면의 섬유결석을 부드럽게 만든 위석 치료 사례도 있다고 한다.

식품에는 알칼리제, 팽창제, 완충제, 청량음료의 탄산가스 발생제 등으로 사용된다. 예를 들면, 탄산수소나트륨은 빵 제조 시 조직을 팽창시켜 맛과 조직감을 연하게 해 소화를 돕는다. 산성식품인 커피의 경우 향이 급속히 나빠지므로 pH를 높여줘 향을 오래 유지하는데 사용된다. 우유에는 우유단백질의 산성 영역 등전점에서의 침전을 방지하기 위한 pH 조정제로 쓰인다.

공업적으로는 연마능력, 중화능력, 탈취능력, 발포능력, 연화능력이 탁월해 세척제, 탈취제 등으로도 다양하게 활용된다. 특히, 가루비누의 배합제, 양털 세척제, 소포제(거품제거) 등 용도가 매우 다양하다. 최근 베이킹소다는 때를 만났다. 자연에 늘 존재하는 성분이며, 인체에 해가 거의 없고, 버려도 수질오염의 염려가 없다고 알려져 친환경 세척제로 각광받고 있다.

2011년 4월 중국에서 돼지고기, 닭고기에 화학조미료를 첨가해 쇠고기로 둔갑시켜 판매한 사건이 있었다. 여러 화학조미료가 첨가됐으나, 언론에서는 "인체에 해로운 탄산수소나트륨 등이 함유되었다"라고 보도함으로써 탄산수소나트륨의 위해성이 도마에 오른 적이 있었다.

탄산수소나트륨의 독성은 쥐에 대한 반수치사량(LD_{50})이 체중 ㎏당 4.3g으로 4g인 소금과 비슷한 수준이다. 그리고 식품에 사용 시 독성 문제가 거의 없다고 판단해 FAO/WHO 식품첨가물전문위원회(JECFA)에서도

1일섭취허용량(ADI)을 정하고 있지 않다. 물론 모든 식품첨가물이 그렇듯이 지나치게 많이 섭취한다면 부작용은 있다. 이 물질도 과량 섭취할 경우, 알칼리증을 일으키는 경우가 있다. 그러나 우리나라에서도 식품첨가물공전에 혼합제제인 합성팽창제(베이킹파우더)로 등재돼 양과 사용 식품에 대한 별다른 제한 없이 사용할 수 있어 안전성 문제는 거의 무시해도 될 것으로 생각된다.

소비자들은 언론을 통해 정보를 얻게 되는데, 좋은 정보는 잘 흘리지만 부정적인 보도는 한 번만 들어도 평생 그 선입견을 지우기가 쉽지 않다. 언론은 잘못된 기사로 인한 소비자들의 오해를 유발하지 않도록 주의해야 할 것이며, 정부도 안전성 관련 소비자 홍보를 지속적으로 해야 할 것이다. 소비자는 첨가물에 대한 막연한 부정적인 인식을 버리고 첨가물이 주는 이익을 잘 활용하는 영리함을 가져야 할 것이다.

커피믹스 인산염

N유업은 최근 출시한 커피믹스 신제품이 기존 커피믹스 크리머에 사용한 첨가물인 인산염을 뺀 획기적 제품이라고 대대적으로 선전 중이다. 현재 우리나라 커피믹스 시장 점유율은 D식품이 약 80%를 차지하고 있고, N유업을 포함한 기타 업체들이 나머지 20%를 나눠 차지하고 있다.

이런 독점적 시장에서 N유업이 난공불락의 커피믹스 시장 공략을 위해 인산염 카드를 꺼내들었다. N유업은 커피믹스에 들어가는 첨가물의 80%를 차지하는 카제인과 인산염을 천연원료로 대체해 자연식품에 가까운 커피믹스를 탄생시켰으며, 인산염을 쓰지 않고도 커피가 잘 용해될 수 있는 기술을 특허출원했다고 한다. 이것이 경쟁제품을 비방한 것인지 소비자의 건강을 위한 안전성 문제 해결 신기술 활용 제품 개발인지 살펴보겠다.

인산염(phosphate)은 인과 나트륨, 칼륨 등이 결합된 인산의 염으로서 무기화합물이다. 식품에 첨가돼 다양한 기능을 갖는데, 유화제, 산도조절제, 흡착제, 팽창제, 소포제, 습윤제, 고결방지제 등 다양한 용도로 사용된다. 인산염은 특히, 가공식품의 원료를 다른 성분들과 잘 섞이게 하고, 생산효율성을 높이는 역할을 하기 때문에 커피믹스에 사용돼 왔다.

인산염은 우리나라를 포함 전 세계적으로 기준 없이 사용할 수 있는 식품첨가물로 허용되어 있을 정도로 안전성이 입증돼 있다. 급성독성은 소금과 비슷한 수준이며, 미국에서는 일반적으로 안전하다고 인정된 첨가물인 GRAS에 속한다.

그러나 인산염을 과잉 섭취하면 두통이나 구역질, 쇼크나 혈압 강하, 혼수상태, 운동장애 등 치명적 인체 손상을 초래할 수 있고, 칼슘이나 철분의 흡수가 떨어져 골다공증이나 빈혈을 유발하는 등 각종 부작용이 있다고 알려져 있다.

그러나 안전성은 그 물질 자체의 독성과 섭취량으로 결정된다. 커피믹스 한 봉지에 포함된 인산염의 양을 따져 봐 그 안전성 여부를 따져봐야 하는데, 첨가물로서의 인산염 첨가량은 사람에게 독성을 줄 만큼 많은 양이 아니기 때문에 안전성 면에서는 문제가 없다고 봐야 한다.

N유업은 인산염 일일섭취권장량이 700㎎인데, 한국인들은 하루 평균 1,215㎎을 섭취하기 때문에 커피에서라도 줄여보고자 신제품을 출시했다고 한다. 그러나 하루에 커피를 3-4잔 마셔야 100㎎ 정도의 인산염을 섭취하게 되므로 우리나라 국민이 섭취하는 인산염의 양에 있어 커피가 차지하는 비중은 매우 미미하다고 볼 수 있다.

소비자는 우리 국민의 인산염 섭취가 일일섭취권장량을 초과해 위해성을 주는 것으로 착각할 수도 있다. 결국 N사의 광고는 소비자를 불안하게 만들고 경쟁사의 제품을 비방하는 카제인나트륨에 이은 제2탄의 노이즈 마케팅이라 볼 수 있다.

모든 식품첨가물은 식품에 사용될 때 기능과 이유가 있다. 물론 모든 물질은 독성 또한 갖고 있다. 국민의 건강을 위해 허용된 식품첨가물이라 하더라도 그 사용을 줄여나가는 기업의 노력은 박수 받아 마땅하다. 그러나 법적으로 허용된 첨가물을 줄이는 것이 사회와 공익을 위한 순수한 목적이었고, 당사 제품의 경쟁 우위를 널리 알리는 포지티브 전략으로 건전한 시장을 형성하고자 했다면 호평을 받았을 것이다. 이번 인산염 광고 논란처럼 경쟁기업과 제품을 비방하는 네거티브 전략으로 소비자를 불안케 만드는 행위는 자제되어야 한다.

이제는 우리나라 식품산업도 세계 10대 강국으로서의 건전한 시장 형성과 선진국으로서의 성숙한 기업문화를 보여야 할 시기라 생각된다.

미국발 밀가루 반죽조절첨가물 아조디카르본아미드(ADA)

2014년 2월 27일 미국의 한 시민단체인 환경활동그룹(EWG)에서 식품 첨가물 아조디카르본아미드(ADA)의 안전성 문제를 제기해 온 나라가 들썩이고 있다. 샌드위치체인점 서브웨이(Subway)를 위시 빵, 피자, 과자 등 미국에서 파는 약 500종의 식품에 ADA가 들어 있어 이들 식품과 제조회사 명단을 공개했다.

여기에는 HACCP을 최초로 도입한 필스버리(Philsbury), 세라리(Sarari) 등 130개 식품회사가 포함됐다. 서브웨이는 2월 초 ADA가 함유된 빵에서 발암물질인 우레탄과 세미카바지드가 방출돼 인체에 해로운 ADA의 사용을 중단토록 한 푸드베이브의 요청을 받아들여 첨가물 ADA를 사용하지 않겠다고 미리 선언했었다고 한다.

ADA(아조디카르본아미드, Azodicarbonamide, $C_2H_4N_4O_2$)는 밀가루를 표백하고, 반죽을 더 찰지게 만드는 반죽조절용 첨가제다. 그러나 이 물질은 요가매트, 신발 밑창 등 플라스틱 제품과 스펀지 등 공업용 발포제로 사용되며, 발암성 논란이 있고 호흡계 질환인 천식이나 알레르기를 유발시키는 것으로 알려져 있다. EU, 호주, 미국 캘리포니아 주 등지에서는 식품첨가물로의 사용을 금지하고 있다. 그러나 우리나라와 미국, 캐나다, CODEX 등에서는 법적으로 허용돼 시중 밀가루에 사용되고 있어 소비자들의 불안감이 깊어 가고 있다.

ADA는 1989년 9월 16일 보건사회부 고시로 식품첨가물공전상 밀가루에만 사용할 수 있는 화학적첨가물로 국내에 허용돼 있으며, 밀가루 kg당 45mg(0.0045%)까지 사용이 가능하다. 미국 식품의약품청(FDA) 또한 1962년 ADA를 식품첨가물로 허용해 잡곡 밀가루 숙성과 표백용, 제빵의 반죽첨가제로 kg당 45mg까지 허용하고 있다. 그러나 미국 내에서도 캘리포니아 주에서는 1987년 동물실험 결과, 발암성이 밝혀져 그 사용을 금지하고 있다. 데이비드 애치슨 전 미국 FDA 출신 식품전문가도 "52년 전의 과학이 현재도 통용되는 것은 아니다"라며 오래된 식품첨가물 기준에 대한 재검토를 요청하고 있는 상태다.

하지만, 현재까지 ADA가 안전하다는 의견이 지배적이다. 즉, 안전성이 입증됐기 때문에 미 FDA 등 여러 나라에서 허용하고 있다는 것이다. 국제식품첨가물전문가위원회(JECFA)에서도 "현재 사용되는 ADA의 허용수준(45mg/kg)은 안전하다"고 평가했고, 밀가루에 첨가된 ADA는 빵을 반죽할 때 물과 접촉하면 빠르게 바이우레아(biurea)로 전환되는데, 이 생성물은 요소와 하이드라진으로 구성된 물질로 독성이 낮고 발암성이 없다고 한다. 대부분 대소변으로 배출되기 때문에 안전하다는 것이다. 유럽식품기준청(EFSA) 또한 현행 식품 중 허용량은 인체 발암성 우려가 없는 것으로 평가하고 있다.

다행히도 우리나라는 대부분(97.2%) 밀을 수입해 밀가루를 국내에서 만들기 때문에 ADA를 사용하지 않는다고 한다. 1970-1980년대까지는 자동화시설이 없어 사람이 직접 밀가루를 용기로 이동시키다 보니 자연 숙성이 불가능해 표백제를 사용했으나 1992년부터 국내 제분업계 스스로 자동화 공정을 통해 밀가루를 하얗게 만들고 있다고 한다. 실제로 밀가루는 껍질과 씨눈을 제외하고는 곱게 빻을수록 하얗게 되는 성질을 갖고 있다.

이들 국내 생산 밀가루를 사용한 빵과 과자는 ADA를 함유하지 않을 것이다. 그러나 1.6%의 수입 밀가루나 미국 등 ADA가 밀가루에 허용된 나라에서 제조, 수입된 제품은 ADA가 함유됐을 가능성도 있다. 이런 안전성 논란에도 불구하고 미 환경활동그룹(EWG)은 ADA가 소비자에게 잠재적인 위험을 끼칠 수 있어 식품에 첨가되는 것을 피하고, 식품제조 시 사용을 금지할 것을 기업들에게 촉구하고 있다.

정부는 과거 우리나라가 경제적으로 어려웠던 시기, 미국의 밀가루 등 식품 원조와 수입에 의존하던 시기에 미국의 기준을 따르고 경제적 여건 등 현실적으로 허용해야만 했던 모든 식품첨가물의 안전성을 다시 평가해야 할 것이다. ADA는 우리 몸에 소량이라도 좋을 것이 전혀 없는 소소익선의 물질이다. 25년 전 허용된 ADA의 안전성을 재평가해 위험성이 입증되거나 또는 굳이 현실적으로 밀가루에 꼭 사용해야 할 당위성이 없다면 소비자들이 먹어서 좋을 것이 없으므로 식품중 사용을 즉시 금지해야 할 것이다. 또한 식품기업들도 비록 법적으로 허용된 첨가물이라 할지라도 굳이 식품에서의 기능과 장점이 적고 대체기술이 있어 사용하지 않아도 된다면, 소비자들이 안심할 수 있도록 사용을 자제하는 선진 의식이 필요하다.

수입 수산물 무게 증량 가성소다

얼마 전 일부 양심 없는 유통업자들이 해삼, 소라, 샤스핀 등 수입 수산물을 가성소다에 담가 크기와 무게를 비정상적으로 부풀려 부당이익을 올렸다는 보도가 이어졌다.

수입한 말린 해삼과 소라를 물로 불리면 무게가 평균 20% 정도만 증가하고 오래 불려야 한다. 그러나 가성소다수에 불리면 무게가 평균 50% 증가하고 불리는 시간도 매우 단축된다고 한다.

특히 샤스핀은 6배까지도 중량이 늘어난다고 한다. 이번에 문제가 된 수산물 유통업자들은 이런 과정을 거쳐 불린 수입 수산물을 재냉동해 음식점 등에 납품했다. 해삼탕, 잡탕밥, 팔보채, 짬뽕 등을 파는 중국집, 회, 스시 등을 판매하는 일식집 등 수입 수산물을 많이 활용하는 음식점이 주요 납품처였다.

가성소다(NaOH)는 양잿물의 주원료로 정식 명칭은 수산화나트륨이다. 대표적인 강알칼리성 물질이며, 고체의 결정상태로 존재해 물에 녹여 수용액으로 사용하는데, 다른 물질을 잘 부식시켜 위험한 물질로 분류된다. 단백질도 가수분해시키기 때문에 손으로 직접 만지면 피부 손상을 입을 수 있다.

양잿물은 사람이 섭취했을 때 호흡 곤란과 구토, 심한 경우 쇼크사를 일으킬 수 있는 치명적인 성분으로 먹으면 안 되는 물질이다. 그러나 양잿물의 주성분인 가성소다는 식품첨가물공전에 등재되어 최종식품 완성 전에 중화 또는 제거할 경우 식품의 가공처리에 사용토록 허가되어 있다.

높은 농도의 수산화나트륨이 피부에 닿을 경우, 심한 화상이나 안구 손상을 일으킬 수 있고, 직접 섭취하거나 음식에 혼입될 경우에는 호흡 곤란, 구토, 쇼크사 등을 유발할 수 있다. 일단 피부에 닿았을 때는 물과 5-10%의 황산마그네슘 수용액으로, 눈에 들어갔을 때는 가능한 한 많은 물과 붕산수로 잘 씻어내야 한다. 혹시 마셨을 경우엔 다량의 식초나 레몬즙을 섞은 물을 많이 마시거나, 우유·달걀 흰자위 등을 먹으면 효과가 있다.

수산화나트륨의 급성독성 지표인 반수치사량(LD_{50})은 쥐 체중 kg당 104-340㎎으로 카페인(192㎎), 농약 DDT(150㎎)와 비슷한 독성이고, 담배의 니코틴(24㎎), 청산가리(10㎎)보다는 약 10배 정도 독성이 약한 물질이다.

수산화나트륨은 비누, 제지, 펄프, 섬유, 염료, 의약품, 식품, 전기 등 다양하게 사용된다. 특히 섬유의 불순물 제거, 염색가공, 광석의 정련과정, 유리 제조의 원료, 지방산을 중화한 비누 제조, 세제의 원료, 종이의 잉크 제거, 전기/전자의 불순물 제거 등에 광범위하게 사용된다. 식품분야에는 조미료(글루타민산소다)와 간장 제조에 사용된다.

정상적으로 물에 불린 해삼과 소라는 pH값이 7-8의 중성을 보이는데,

가성소다로 불린 경우, 알칼리성으로 변해 쉽게 구분할 수 있다. 소비자가 가성소다로 불린 수입 수산물을 구분하는 방법은 휴대용 리트머스시험지와 씹었을 때의 질감으로 알 수 있다. pH가 알칼리성을 나타내는 경우와 씹었을 때 질감이 푸석푸석한 경우에는 가성소다로 불렸다고 의심해 볼 수 있다.

천연첨가물 카라기난

카라기난(carrageenan)은 시판 과자류, 사탕류, 육가공식품 등에 많이 사용되는 천연첨가물인데, 발암성 논란이 있어 소비자들 특히 어린 아이를 둔 주부들이 특히 불안해하고 있다.

이는 아일랜드 남부 해안지방의 카라겐(carragheen)이라는 마을의 주민들이 약 600년 전부터 카라기난의 원료인 Irish moss라는 붉은 해초(홍조류)를 식용, 약용으로 사용하면서 유래되었다. 카라기난은 홍조류 식물을 물이나 뜨거운 알칼리용액으로 추출, 정제해 얻는 물질로서 복합다당류다. 분자 중 황산기를 갖고 있는 황산화갈락탄으로 구성되어 있고, 황산기의 수와 결합위치에 따라 ι(Iota)-카라기난, κ(Kappa)-카라기난, λ(Lambda)-카라기난으로 구분한다.

무미, 무취이며, 백색 또는 미황색의 분말제품으로 냉수에는 잘 녹지 않으나 80-85℃의 고온에서 완전히 용해되며, 식으면서 50-55℃에 이르러 겔화되기 시작한다. 보수력이 우수해 시간이 지나도 점도가 변화하지 않는데, 특히 카제인과 반응해 균일한 겔을 형성하고 유청의 분리 방지효과가 뛰어나 두유에 많이 사용된다.

카라기난의 점성은 1-2%에서 급격히 상승하는데, 알칼리에서는 안정하나, 산성에서는 점도가 감소하는 특성이 있어 산성식품에는 별로 사용되지 않는다. 식품에 분산제, 유화안정제, 팽윤제, 증점제, 육류제품의 결착제, 식이섬유, 결정방지제, 유음료의 현탁안정제, 겔화제 등으로 사용되고 있다. 주로 생과자, 도넛, 빙과류, 청량음료, 햄 등에 0.03-0.5% 정도로 첨가된다.

카라기난은 오래 전부터 사용되어 온 천연 식품첨가물이나, 일본과 미국에서 발암성 논란이 있어 왔다. 특히, 미국에서는 아이오와대학의 Tobacman 박사가 비록 실험동물을 대상으로 한 것이지만 발암 가능성을 제기한 적이 있었다.

그러나 이후 일본 식품첨가물협회 카라기난분과회의 실험 결과, 암을 발생하지 않는다는 결과를 얻었고, 2001년 개최된 국제식품첨가물전문가위원회(JECFA)회의에서 재검토한 결과, 카라기난의 안전성이 검증되었다. 또한 국제암연구소(IARC)에서는 카라기난을 인체 발암성분이 아닌 Group 3(3군)으로 분류하고 있는데, 3군은 인체발암성미분류물질로서 불충분한 인간 대상 연구자료와 불충분한 동물실험 결과가 있는 경우를 말한다.

그렇지만 유기식품에서의 사용은 여전히 논란이 있어 왔으나, 결국 2013년 5월 10일 미국 농무부(USDA) 국립유기프로그램(NOP)에서 카라기난을 승인목록에 유지하기로 결정해 안전한 식품첨가물로 재입증 받은 셈이 되었다.

우리나라 식약처에서도 "카라기난을 일본에서 한때 위험등급으로 분류했었지만 개인적인 임의 분류에 불과하다며, 국제기구인 JECFA의 평가와 큰 차이가 있어 공신력 있는 연구결과로 받아들여지지 않고 있다"고 밝히기도 했다. 결국 카라기난은 우리나라와 JECFA에서 1일섭취허용량(ADI)을 규정하고 있지 않을 정도로 안전한 첨가물로 분류되고 있는 셈이다.

그러나 정부는 카라기난이 비록 안전성이 입증된 첨가물이긴 하나 산업에서의 사용빈도가 높고, 국민들의 섭취량이 높아 꾸준한 안전성 관련 모니터링과 독성연구를 수행해야 할 것이다. 특히, 소비자는 더 이상 카라기난의 안전성, 특히 발암성 논란에 흔들릴 필요가 없으며, 식품의 가공과 보존에 장점이 되는 기능을 적극 활용하는 지혜를 가져야 할 것이다.

식용타르색소 사용량 제한

최근 식약처는 식품에 사용되는 식용타르색소류에 대하여 사용할 수 있는 식품과 사용량을 제한하는 식품첨가물의 기준 및 규격 개정안을 행정예고 했다. 이번 개정안은 식품제조업자가 사용 대상식품과 사용량을 쉽게 구분해 적절한 사용을 유도하기 위해 만들어 졌으나 주요 선진국에서는 이미 시행하던 것이어서 늦은 감이 없지 않다.

물론 타르색소는 섭취량이 미미해 위해성평가 결과, 일일섭취허용량(ADI) 대비 0.28% 수준에 그치기 때문에 개정의 필요성은 낮았다. 그러나 이는 첨가물중 중요도가 가장 낮고 소비자 건강에 도움이 전혀 되지 않는 소소익선의 물질이라 이번 조치는 적절하다 생각된다.

주요 내용은 국내에서 식품첨가물로 인정된 식용색소 녹색3호, 적색2호, 적색40호, 청색1호, 청색2호, 황색4호, 황색5호 및 그 알루미늄레이크, 적색3호와 적색102호 등 식용타르색소류 16품목에 대해 사용할 수 있는 식품과 사용량 기준을 정한 것이다. 허용된 주요 식품은 과자, 캔디, 껌, 빵떡류, 초콜릿류, 잼류, 소시지류, 음료류, 향신료가공품, 주류, 건강기능식품, 아이스크림류, 젓갈류, 절임식품, 빙과류 등이다.

외국에서 수입, 판매되는 캔디, 젤리, 과자 등 어린이기호식품에서 허용되지 않는 아조루빈 등 타르색소가 검출돼 해당 제품이 판매중단, 회수조치된 사례가 너무도 많았었고, 국내 허용된 타르색소의 오남용 우려를 해결하기 위한 조치라 생각된다.

'천연색소'는 예로부터 황색의 심황·치자·사프란, 녹색의 엽록소 등이 사용돼 왔는데, 최근에는 타르계, 비타르계 인공색소가 주로 사용되고 있다. 타르계 색소는 직물의 염료로서 합성과정을 거치기 때문에 유해한 것이 많아 전 세계적으로 사용을 엄격히 제한하고 있으며, 현재 국내에는 16품목이 허용돼 있다.

인류의 역사를 통해 인간은 식품에 색을 가미해 시각적 만족을 높이려 했다. 그러나 불행하게도 모든 색이 단순히 식품의 색을 돋보이도록 하는 데만 사용된 것이 아니라 덜 신선한 식품을 위장하는 데도 사용되었다. 식품에 있어 색소는 이러한 비도덕적 나쁜 역사로부터 시작되었다. 이러한 색소들이 이익에 눈먼 상인들에게 부도덕하게 사용됨에 따라 색소의 안전성평가와 엄격한 규제가 시작됐다. 1800년대 후반부터 현재까지 많은 색소가 새로이 인정받았고, 또한 독성이 입증돼 금지된 품목도 미국에서만 20종에 달한다. 아직도 색소의 입증되지 안정성에 대해 많은 소비자단체가 문제를 제기하고 있고 최근 중국, 영국 등에서도 끊임없이 색소 사고가 터지고 있다.

색소, 특히 타르색소의 안전성 문제가 오랜 논란이 되어 왔는데, 미국에서 사용이 금지된 최초의 타르색소는 azo계 butter yellow다. 이 색소는

1940년까지 마가린에 사용됐는데, 당시 쥐 실험에서 간종양(간암)을 일으킨다는 사실이 밝혀지면서 이슈화되기 시작했다. 미국에서 금지된 또 다른 색소인 carbon black은 다른 형태의 유기물이 가열됨으로써 얻어지기 때문에 많은 양의 재(ash)와 polycyclic aromatic hydrocarbons(PAHs)를 포함한다. 이러한 이유로 미국에서는 사용이 금지됐으나 유럽연합(EU)에서는 여전히 허용하고 있다. 그리고 적색 2호(FD&C Red No.2, amaranth)는 미국에서 안전성 관련 논쟁이 가장 많았던 색소 중 하나로 현재 금지돼있으나, EU, 일본, Codex, 우리나라 등에서는 아직 허용되고 있다.

우리나라 정부는 아직 안전성이 입증되지 않거나 세계적으로 이슈화되고 있는 색소들을 지속적으로 모니터링하고 위해평가를 실시해야 한다. 사용되는 식품첨가물 중 사회적으로 그 중요도가 가장 낮은 것이 바로 이 색소라 생각된다. 산업체는 식품의 품질과 기능 향상에 도움이 되지 않으면서 단순한 구매욕 자극의 목적으로 무분별하게 사용되고 있는 색소의 첨가를 자제해야 한다. 소비자들 또한 표시 확인, 제품의 관능적 확인 등을 통해 색소가 과잉 첨가된 식품의 구매를 자제하는 노력이 필요할 것이다.

파라벤의 안전성

2015년 1월 말부터 안전관리 강화 차원에서 페닐파라벤 등 일부 살균·보존제 성분을 화장품 제조에 사용할 수 없게 됐다. 지난 2011년 3월부터 덴마크에서는 3세 이하 영유아 제품에 프로필파라벤과 부틸파라벤 사용을 금지했고, 같은 해 10월 유럽소비자안전위원회도 6개월 미만 영아용 제품의 파라벤 사용의 안전성을 우려한다는 의견서를 제출한 바 있다. EU는 2015년 4월부터 프로필파라벤, 부틸파라벤의 허용기준치를 기존의 0.4%(혼합사용 0.8%)에서 0.14%(혼합사용 시 동일)로 낮추고 3세 이하 영유아의 기저귀 착용 부위에서도 사용을 금지했다.

2014년 11월 유럽연합(EU)이 취한 5종류의 파라벤(이소프로필파라벤, 이소부틸파라벤, 페닐파라벤, 벤질파라벤, 펜틸파라벤)이 함유된 화장품을 수입하지 못하도록 한 조치를 반영한 것이다. 또한 파라벤은 영국 NGO인 여성환경연대가 화장품 안전캠페인을 통해 파라벤의 안전성에 의문을 제기하면서 논란이 됐는데, 최근 우리나라 국정감사에서 국내 시판 치약의 인체 유해 우려성분인 파라벤과 트리클로산 문제를 제기해 논란을 일으키고 있다.

파라벤(파라옥시안식향산 에스텔)은 1920년대 미국에서 개발됐는데, 자연에 존재하며, 과일, 채소, 딸기, 치즈, 식초 등에 함유돼 있다. 미생물 성장억제, 저장기간 연장을 위해 식품, 화장품, 의약품의 보존제로 널리 쓰인다. 의약품과 화장품에는 단일성분인 경우 0.4%, 혼합사용은 0.8% 이내로 사용할 수 있으며, 식품에는 메틸파라벤, 에틸파라벤의 사용이 가능하며 잼이나 간장, 음료 등에 ㎏당 0.1-1g을 첨가할 수 있다. 국내에서는 간장(0.25g/L), 식초(0.1g/L), 청량음료(0.1g/L), 과실 소스류(0.2g/L), 과실류와 과채류의 표피(0.12g/L)의 살균, 야채류나 과채류의 간장절임, 된장절임, 소금절임(0.08g/L) 등에 농도로 사용 가능하다. 한편 유럽과 미국은 파라벤 사용기준이 우리와 같으나, 일본은 더 높은 농도인 식품 10g/㎏(1%)까지 허용하고 있다.

파라벤은 파라옥시안식향산을 알코올 등으로 에스테르화 반응시켜 만든다. 이는 작고 무색에 가까운 수정과 같은 가루로 향과 맛이 없으며, 가수분해에 안정하고 파라옥시안식향산메틸과 프로필이 많이 사용된다.

파라벤에 대한 유해성 논란이 뜨겁다. 파라벤은 내분비계장애추정물질로 여성호르몬인 에스트로겐과 유사하게 작용해 유방암 발생 또는 성조숙증을 일으킬 수 있으며 남성의 경우 정자수 감소 등 남성의 미성숙을 유발하는 것으로 일부 보고되고 있다. 그러나 일부에서 제기한 파라벤의 유방암과 고환암 유발 가능성에 대해 국제암연구소(IARC)의 발암물질 목록에는 파라벤이 들어 있지는 않다. 또한 식약처에서도 파라벤을 내분비계장애물질로 판단하고 있지는 않다.

사실 파라벤은 몸에 축척되지 않고 장내에서 흡수, 대사된 후 주로 소변으로 배출되므로 독성이 강한 물질은 아니다. 파라벤의 급성독성지표인 반수치사량(LD_{50})은 2.1g/㎏으로 4g인 소금보다 겨우 독성이 2배 큰 정도다. 게다가 미 FDA에서 "파라옥시안식향산메틸과 프로필"을 안전한 식품첨가물 목록인 GRAS에 포함시켜 식품에 0.1%까지 보존료로서의 사용을 허용하고 있으며, 식품포장지에는 제한 없이 사용토록 하고 있다. FAO/WHO 첨가물전문위원회(JECFA)에서 파라옥시안식향산메틸, 에틸, 프로필의 ADI(일일섭취허용량)를 체중 ㎏당 0-10㎎/day로 권장하고 있다. 유럽, 일본 등 많은 나라에서 파라벤을 항균 목적의 식품첨가물로 허용하고 있다.

최근 식약처 연구결과, 어린이 및 청소년(3-18세)의 경우, 파라벤의 일일 노출추정치는 체중 ㎏당 평균 0.01㎎으로 ADI의 0.1%, 성인(19-69세)은 0.3% 수준으로 우리 국민은 파라벤으로부터 안전하다고 한다. 그렇지만 먹어서 몸에 좋을 게 없는 물질이라 화장품업체들은 무파라벤 제품을 속속 출시하고 있다. 3세 이하 영유아 제품에 파라벤 사용을 금지키로 한 유럽의 조치에 따라 우리 정부도 어린이용 제품의 경우에는 파라벤 위해성평가 결과, 안전성이 입증됐다 하더라도 대체제가 있다면 보다 엄격한 안전관리 조치를 취해야 할 것으로 생각된다.

현재 우리나라에서는 파라벤이 영유아 제품에 광범위하게 쓰이고 있으며 성인 제품과 동일한 수준으로 사용되고 있다. 영유아용 물티슈의 경우, 피부자극을 최소화하기 위해 천연코튼 등을 소재로 쓰고 있긴 하지만 아직까지 공산품으로 분류돼 있으며 파라벤 0.4%의 허용기준치를 적용하고 있다. 아기파우더와 로션 등은 0.4%(혼합사용 시 0.8%), 어린이 치약은 성인 제품과 마찬가지로 0.2%까지 허용하고 있다.

파라벤은 몸에 축적되지 않고 급성독성이 적으며, 일부 생식독성과 에스트로겐 활성에 영향을 준다는 결과가 있지만 최종적으로 입증되지는 못해 안전한 첨가물로 생각된다. 그러나 모든 물질은 독성이 있다. 경제성, 보존성 등 이익이 워낙 커 꼭 사용해야 하는 필요악이라면 허용된 안전기준 범위 내에서 활발한 리스크 커뮤니케이션과 함께 소비자의 안심을 이끌어 내면서 적극적으로 활용해야 할 것이다.

벌집 유동파라핀의 안전성

얼마 전 채널A 먹거리X파일에서 양봉업자는 절대로 안 먹는 벌집 아이스크림이라는 방송이 방영됐다. 한창 벌집 아이스크림이 인기를 끌고 있던 터라 그야말로 찬물을 끼얹은 사건이 됐었다.

유동파라핀은 석유에서 얻은 탄화수소류의 혼합물로서 현행 식품첨가물공전에 천연첨가물로 등재돼 있다. 이는 주로 빵류, 캡슐류, 건조과채류에 이형제로, 신선 과채류에 피막제 용도로 사용되고 있으며, 화장품에서도 각종 base oil로 광범위하게 사용되고 있다. 1887년경 구소련 실험실에서 개발돼, 8년 후 유럽에 Russian oil로 수출됐다. 이후 제1차 세계대전 때 석유제품 제조사였던 소네본사가 정제법을 개발해 제약산업에 활용함으로써 본격적으로 생산되기 시작했다.

유동파라핀은 점도가 높은 끈적한 액체로 냄새와 맛이 없고, 원유에서 석유제품을 생산한 후 남은 부산물을 정제해 제조된다. 그런 이유로 광유, 미네랄오일(mineral oil), 미네랄파라핀(mineral paraffin) 등 다양하게 불린다. 이는 물과 알코올에는 녹지 않지만 유지, 에테르, 클로로포름, 벤젠 등 유기용매에 잘 용해되며, 산, 열, 빛에 안정한 특징이 있다.

주로 빵이나 비스킷류 제조 시 그 형태를 유지하기 위해 사용되고, 반죽이 용기에 붙거나 구울 때 용기에 달라붙어 제대로 굽히지 않거나 발효 시 가스가 균일하게 형성되도록 하기 위해 첨가되는 이형제(releasing agent)다.

식품의 이형제로는 주로 식물성기름이 많이 사용되지만 유동파라핀을 사용하면 기름가스의 생성이나 기계의 부식이 적고, 윤활성과 점도가 좋아 반죽 분할과정에서 중량오차가 적다고 한다. 또한 이는 식물성기름에 비해 산패가 적어 제품 중 불쾌취가 잔존하지 않는 장점이 있어 가공식품에 많이 사용된다.

그러나 유동파라핀이 인체에 흡수될 경우, 체내에서 소화, 흡수되지 않아 복통과 설사를 일으킬 수 있다는 단점이 있으며, 또한 비타민A, D, E 등 지용성 비타민의 흡수를 감소시킨다. 우리나라에서는 석유에서 추출한 파라핀 중 액체형태인 유동파라핀만 식품첨가물로 허용하고 있다. 그러나 식품에 직접 뿌리는 것은 허가되지 않는다. 이형제로서의 사용량은 빵에는 0.15%, 캡슐에는 0.6%, 건조과채류에는 0.02%만이 허용돼 있다.

파라핀 소초(comb foundation)가 인체 안전성 문제를 일으키고 있는데, 이는 밀랍과 파라핀으로 된 육각형 벌방의 형태를 이룬 얇은 판으로 일벌들이 벌집을 짓는데 기초가 된다. 그러나 다행히도 파라핀 소초는 아예 씹히지 않을 정도로 단단해 소비자가 씹을 경우 구분이 용이할 뿐더러 업체에서 식품에 함부로 사용할 수도 없다고 한다. 그렇지만 차가운 아이스크림 위에 올라간 달콤한 벌집은 보기도 좋고 콘셉트도 좋지만 먹어서 몸에 좋을 게 전혀 없는 물질이다.

소비자는 벌꿀 섭취 시 꿀만 먹고 벌집은 버리는 것이 좋다. 또한 유동파라핀으로 코팅된 과일을 구매, 섭취할 경우, 지용성이므로 솔, 스펀지를 이용하거나 세척제를 사용해 섭취 전 제거하는 것이 좋다. 또한 집에서 잼을 만드는 경우에도 과도하게 윤이 나지 않는 과일을 선택하는 것이 좋고 코팅된 과채류를 구매했을 경우에는 껍질을 깨끗이 세척한 후 섭취하는 것이 좋다.

질소과자 논란

요즘 소비자들이 뿔이 났다. 식품업체가 봉이 김선달보다 더하다고 한다. 물장사도 모자라 이제는 공기장사를 한다고 한다. 빵빵한 봉지에 과자가 몇 개 들어 있지도 않은 소위 질소과자 논란 때문이다. 제과업체에서 판매하는 과자들이 질소충진 때문에 포장에 비해 내용물이 터무니없이 모자라 화가 난 것이다.

물론 과자봉지 속의 질소는 과대포장이 목적이 아니라 과자의 파손 방지라는 좋은 취지로 넣은 것이다. 질소기체는 상온에서 화학적으로 비활성이라 과자봉지의 충전제로 주로 쓰이며, 자동차의 에어백에도 활용되고 있다. 또한 숨 쉬는 공기의 80%를 차지해 색깔, 맛, 냄새가 없고, 안전하고 저렴하기까지 한 것 또한 알고 있다.

두 번째 목적은 유통과정에서 일어나는 과자의 변질을 막는 것이다. 대부분의 식품은 산소와 만나면 변질된다. 과자 특히, 기름에 튀긴 유탕과자는 유통 중 산패가 잘 일어나는데, 산소대신 채워진 반응성 낮은 질소는 산패를 방지하고 신선도를 유지해 바삭한 식감과 향을 유지시켜 준다.

그동안 급속냉동에 주로 활용되던 액화질소 또한 최근 요리에도 활용된다고 한다. 낮은 온도(-196℃)의 액체질소는 부패되기 쉬운 식품을 수송할 때 냉동제로도 쓰인다. 실제 질소기체를 초저온으로 만들어 고압으로 압축시키면 산소나 수소분자에 비해 안정적이라 식품의 냉동, 건조 또는 생체물질의 변성을 막는 용도로 사용할 수 있다.

질소(窒素, nitrogen)는 1772년 스코틀랜드 물리학자 다니엘 러더퍼드가 처음 발견했다. 1789년 프랑스의 화학자 라부아지에는 질소는 산소와 달리 호흡과 관련이 없으며, 생명을 지속한다는 뜻의 그리스어인 zotikos에 부정을 뜻하는 접두사 a를 붙여 azote라 명명했다. Nitrogen이라는 지금의 질소원소의 명칭은 1790년 장 샤프탈이 질소가 초석(질산칼륨)의 주성분이라는 사실에 근거해 초석을 뜻하는 라틴어 Nitrum과 생성한다는 뜻인 그리스어 gennao를 합성해 nitrogene으로 제안했고, 이후 영어 표기인 nitrogen이 만들어진 것이다.

질소는 대기 부피의 78.09%를 차지해 대기 중 가스형태로 주로 발견되는데, 해수나 암석에도 광범위하게 존재한다. 또한 우주에서 여섯 번째로 많은 원소이기도 하다. 자연적으로 발견되는 질소의 동위원소는 14N, 15N이 있는데, 이 중 14N이 99.6%로 대부분을 차지한다. 이외 12N, 13N, 16N, 17N는 방사성 동위원소로 매우 불안정하다.

대부분의 질소는 질소화합물 제조에 쓰이는데, 다이너마이트를 비롯한 각종 폭약 제조의 기본 원료로 사용된다. 산화질소는 휘발성이 매우 크며, 웃음가스라고 알려진 일산화이질소(N_2O)는 마취제로도 쓰인다. 그 외 이산화질소(NO_2)는 질산 제조공정의 중간물질로 화학공정에서 강력한 산화제로 쓰이며, 로켓 연료로도 사용된다.

모든 가공식품에서의 첨가물 사용은 과유불급이다. 과자에 질소를 첨가한 것이 문제가 아니라 지나치게 많은 양을 봉지에 넣어 파는 것이 문제다. 질소 충전으로 감자칩의 원형 유지와 바삭한 식감을 즐기게 해 준 것은 고마운 일이지만, 제품의 신선도를 유지하는 수준에서 과대포장이라는 느낌이 들지 않을 정도의 양만 넣었으면 하는 것이 소비자의 바람이다.

벌레색소 코치닐

최근 미국에서 스타벅스가 "딸기크림 푸라푸치노에 코치닐추출색소를 첨가한다"고 공개하자 채식주의자들이 항의해 결국 코치닐추출색소를 토마토추출 리코펜색소로 대체했다고 한다. 국내에서도 2014년 4월 한 TV프로그램에서 코치닐색소의 비밀이 방영되면서 사회적으로 큰 파장을 일으켰고, 소비자들에게 코치닐추출색소는 벌레추출물이라는 부정적인 인식을 심어주게 됐다.

코치닐(cochimeal)이란 마른 연지벌레 암컷을 말하며, 이 벌레를 말려 얻은 농축물을 코치닐추출색소(cochineal extract)라 한다. 일련의 추출과정을 통해 얻어진 코치닐추출색소는 물에 잘 녹으며 산도에 따라 색이 변하는 특징이 있다. 코치닐추출색소의 ADI(일일섭취허용량)는 1982년부터 WHO/FAO 합동첨가물위원회(JECFA)와 유럽식품안전국(EFSA)에서 체중 ㎏당 0-5㎎으로 규정하고 있다.

착색료(colorant)는 식품의 색을 향상시키기 위해 첨가하는 물질로서 천연색소와 인공색소로 분류된다. 이 중 인공색소는 식품 착색을 위해 화학적으로 합성한 색소를 말하며, 타르계와 비타르계 색소로 나뉜다. 비타르계 색소는 천연색소를 화학적으로 합성하거나 화학처리한 것으로 비타르계 색소에는 β-카로텐, annatoo(수용성), 카르민 등이 있다. 카르민

(carmine)은 코치닐추출색소의 주성분인 카르민산(carminic acid)에 염을 반응시켜 얻은 레이크 염료로 비타르계 색소다.

음식은 혀와 입으로만 먹는 것이 아니라 소리로 먹고, 냄새로 먹고, 눈으로 먹는다고 한다. 눈은 음식을 먹기 전 식욕을 돋우는 역할을 하기 때문에 생산자들은 소비자들의 눈길을 끌기 위해 식품의 외관과 색을 향상시키는 색소를 많이 사용한다. 그러나 불행히도 모든 향과 색이 단순히 식품의 질과 외관을 향상시키는 데만 사용된 것이 아니라 때로는 덜 신선한 식품을 위장하고 질을 속이기 위해 사용되기도 했다. 또한 선명한 색을 내기 위해 석유의 원료인 타르(tar)에서 추출한 타르색소를 사용함에 따라 안전성 문제와 더불어 색소에 대한 소비자의 부정적인 인식을 주게 된 것이다.

코치닐추출색소와 관련된 두 가지 이슈는 "과연 진정한 천연첨가물인가?"와 알레르기 유발 여부다. 코치닐추출색소는 건조 시 변색방지와 용해도 증가를 위해 안정제와 유화제가 첨가된다. 즉, 코치닐추출색소 그 자체는 천연에서 왔지만 추출 시 안정제, 유화제가 첨가되기 때문에 엄밀하게 살펴볼 때 천연첨가물이라 말할 수 있는지가 쟁점이다.

둘째, 알레르기 이슈인데, 2009년 캐나다의 한 아이가 코치닐추출색소가 든 요거트를 먹고 알레르기 반응을 보이면서 안전성 문제가 대두됐다. 이후 많은 국가에서 코치닐추출색소로 인한 알레르기 사례가 줄줄이 보고되면서 WHO는 코치닐추출색소를 알레르기 유발 의심물질로 결론짓고 알레르기 환자들에게 주의를 당부했다. 그러나 모든 항원이 모든 사람에게 알레르기 반응을 일으키지는 않기 때문에 코치닐추출색소가 일부 민감자들에게 알레르기를 유발한다면 사용을 금지할 것이 아니라 주의표시를 하면 될 것이다.

이렇게 코치닐색소는 천연첨가물로서의 분류, 알레르기 표시, 사용 여부 등에 대한 소비자들의 강한 챌린지를 받고 있다.

생산자는 비록 허용된 식품첨가물이라 하더라도 사회적, 기능적으로 그 중요도가 가장 낮은 색소의 경우, 그 사용을 줄이고, 부득불 사용해야만 하는 경우가 있다면 가능한 소량으로 사용하고 표시를 통해 소비자가 알고 구매할 수 있게 해야 할 것이다. 소비자는 이로 인한 색소 사용여부와 함유량에 대한 정보를 표시로 확인한 후 구매를 결정한다면 건강문제를 예방할 수 있을 것이다. 모든 식품첨가물은 양면적이고 일장일단이 있다는 것을 인정하고 충분한 지식을 갖고 좋은 점을 잘 활용하는 것만이 현명한 소비자가 되는 첩경이다.

식초의 역사와 빙초산의 안전성

최근 식초가 건강 콘셉트로 인기를 끌고 있다. 그러나 중국집 단무지, 양배추절임, 무절임, 식당 물냉면용 식초는 대부분 식용빙초산이다. 외식문화, 가공식품의 발달로 예전의 전통 양조식초보다 값이 훨씬 싼 합성빙초산이 많이 쓰이고 있다. 빙초산은 섭씨 16도 이하에서는 얼음과 같은 결정을 만들기 때문에 붙여진 이름이다. 식초는 전통 발효에 의한 양조식초, 석유(tar)에서 추출한 합성식용빙초산 등 종류가 다양하다. 식초의 주원료가 초산이고, 빙초산도 식품첨가물로 허용돼 식용식초로 쓸 수 있다 보니, 소비자는 식초와 빙초산을 헷갈려 한다.

가장 오래된 식초(vinegar)는 BC 1,450년경 이스라엘 지도자 모세가 붙인 아라비아어 시에히게누스라 한다. 중국에는 공자시대 때 이미 식초가 있었는데, 염매라는 살구식초가 있었고, 우리나라에는 삼국시대에 식초제조법이 전래됐다고 한다.

우리나라에서는 술이 변해 초가 된다는 기록이 있었고, 지봉유설에서도 초와 술의 언급이 있어 식초의 기원과 제조법이 술의 역사와 함께 한 것으로 추측된다. 식초는 제조법에 따라 양조초와 합성초로 구분된다. 양조초는 술 만드는 양조법에 의해 만들어지는 식초로 그 원료에 따라 쌀, 보리 등

곡물을 사용하는 곡물초와 과실을 사용하는 과실초로 나뉜다. 100% 양조법으로 만들어진 식초만을 양조초라고 표시할 수 있으며 식초의 영문명 vinegar도 양조초에만 허용된다. 합성초는 화학적 합성으로 만들어진 식초다. 와인식초는 저장돼 있던 포도주가 우연히 초산발효된 것이 그 시초가 됐는데, 가장 오래된 과실초다.

즉, 식초의 영문명인 vinegar는 프랑스어로 포도주(와인)인 vin과 신맛인 aigre를 합친 합성어인 'vinaigre(비네글르)'이다. 예전부터 포도주를 초산 발효시켜 식초를 만들었기 때문에 이렇게 불린 것으로 생각되며, 주로 와인 명산지가 와인식초의 산지이기도 한 것은 이런 연유에서다.

식초는 효소작용을 억제해 채소의 갈변을 지연시켜 우엉, 연근 등의 조림에 이용되며, 안토시아닌계 색소와 반응해 예쁜 붉은색을 띠게 해 생강 등의 초절임에 필수품이다. 또한 소금의 짠맛을 부드럽게 해 주는 작용이 있어 생선 소금구이에 요긴하게 활용된다. 또한 초산 농도가 높은 식초는 미생물에 대한 살균력이 강해 식품 원재료의 보존성을 높이기 위해 초절임에 사용된다. 생선회 등 날 음식을 먹을 때 레몬이나 식초를 사용하는 것 또한 살균효과를 얻기 위해서다.

식초는 초산, 구연산, 아미노산, 호박산 등 60여종의 유기산을 함유하고 있어 식욕을 증진시킨다. 곡물식초 중 특히, 현미식초가 아미노산을 가장 많이 함유하고 있는데, 필수아미노산 8종을 비롯 18종의 아미노산이 함유돼 있다. 과일식초 중 감식초는 비타민 C, 사과식초는 칼륨이 풍부한 것이 특징이다.

식초의 주성분인 초산(acetic acid)은 체내에서 아세틸코엔자임 A(Acetyl-CoA)로 변해 세포내에서 옥살아세트산(oxalacetic acid)과 반응, 구연산(citric acid)으로 변한 후 크렙스싸이클을 통해 에너지를 발생하고 피로를 회복시켜 준다. 식초는 비타민, 무기질 등 각종 영양소의 체내흡수의 촉진제 역할을 한다. 또한 체내 잉여 영양소를 분해해 비만을 방지하고 콜레스테롤을 저하시켜 지방간을 막는 작용도 있다고 한다. 이 외에도 한방에서는 식초가 지혈작용, 혈액순환 촉진, 혈액 생성 및 빈혈 개선효과, 식욕증진, 정장작용을 하며, 갈증을 없앤다고 한다.

그러나 빙초산은 양조방식이 아닌 합성으로 만들다 보니 초산이 99% 이상 함유돼 강산성이라 원액을 직접 사용하는 것은 매우 위험한 일이다. 식용빙초산도 초산 농도가 29%까지 돼 매우 높다. 고농도의 초산 접촉 시 피부 화상을 입을 수 있고, 섭취 시에는 식도와 위 점막의 직접접촉에 의한 소화기계 부식성 손상, 전신 흡수 시에는 심각한 중독증상을 보여 용혈, 저혈압, 간부전, 신부전, 혈관 내 응고장애, 심한 경우 사망에까지 이를 수 있다고 한다.

미국, 유럽 등 선진국에서는 초산 99%의 빙초산을 소매점에서 판매하는 것을 금지하거나 식용빙초산의 초산 농도를 화상을 유발하지 않는 25% 이하로 낮춰 판매하는 추세라 한다. 우리나라도 2년 전부터 빙초산을 엄격히 관리하고 있다. 하지만 식초 구입 시 주원료인 초산의 사용농도를 잘 확인해 건강상 안전문제를 유발하지 않도록 주의가 필요하다.